Crossword

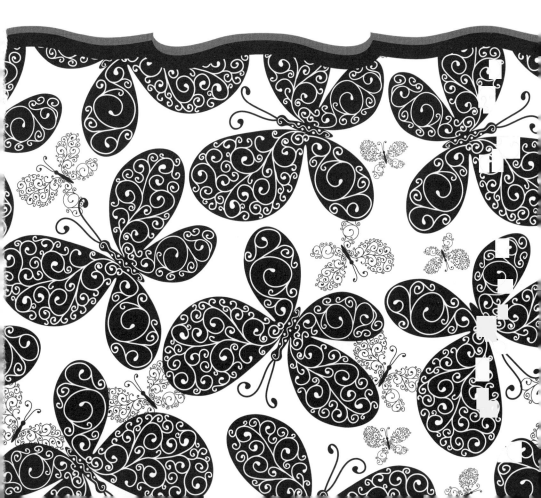

hinkler

Published by Hinkler Books Pty Ltd
45–55 Fairchild Street
Heatherton Victoria 3202 Australia
www.hinkler.com.au

Puzzles © Lovatts Publications 2012, 2015
Design © Hinkler Books Pty Ltd 2012, 2015

Cover Design: Leanne Henricus
Typesetting: MPS Limited

ISBN: 978 1 4889 0774 6

Printed and bound in China

The completed crossword grid contains:

Row 1: J O U S T I N G · S H O P
Row 2: U · C · · L · P · · E
Row 3: G A L A · I M A G I N E D
Row 4: G · L · · N · R · · D · L
Row 5: L E A D E R · C · I · · L
Row 6: E · T · V · R E S T O R E
Row 7: · · O · I · I · A · · ·
Row 8: T U M B L E D · R · · · E
Row 9: N · A · · · M I S S E D
Row 10: I · N · · · A · I · · I
Row 11: T O M A H A W K · G R A B
Row 12: C · N · · · E · H · · L
Row 13: H U L A · P A R A S I T E

ACROSS

1. Fighting with lances
5. Retail outlet
7. Festive occasion
8. Dreamt
9. Commander
12. Reaffirm
15. Fell over
19. Felt the loss of
21. Native American weapon
22. Snatch
23. Hawaiian dance
24. Organism living off host

DOWN

1. Keep balls in air
2. Hot water burn
3. Chillier
4. Sideways look
5. Ghost
6. Sell on street
10. Molecule particle
11. Sinister
12. Purge
13. Hindu garment
14. Cultural pursuits
15. Spasm
16. Curved fruit
17. Pitch tent
18. Able to be eaten
19. Fabricator
20. Moans wearily

CROSSWORD 2

ACROSS

1. Increases magnification, ... in
7. Wild prank
8. Appeal earnestly
10. Mythical Irish imp
12. Revive (interest)
14. Lose (fur)
16. Religious sisters
17. Diverges
20. Made assurances
23. Classified
24. Graceful style
25. Glided on snow

DOWN

1. Metal-toothed fastener
2. Breakfast or dinner
3. Operator
4. Ornate
5. Skydive
6. Rested (on)
9. Deferment
11. Storm cloud moisture
13. Ram's mate
15. Nile or Amazon
16. Lump of gold
18. Sown (with grain)
19. Covered-in canoe
21. Discretion
22. Badly-lit

ACROSS

1. Grooming (hair)
4. Fashionable fad
7. Ocean-liner waiter
8. Greatly please
9. Grow (business)
12. Show up again
15. Gain university degree
17. Pass (of time)
18. Confusing networks
21. Fatigued
22. Yesterday, ..., tomorrow
23. Found

DOWN

1. Kayaking
2. Be disloyal to
3. Weight unit
4. Cipher
5. Worn away
6. Relieve
10. Await with horror
11. Person paid
13. Saved
14. Blinded by light
16. Cinematographer's apparatus
18. Baseball glove
19. Swing to & fro
20. Send by post

ACROSS

1. Messenger
5. Sketch
7. Furious
8. To ... it may concern
9. Unfortunately
10. Shockingly vivid
11. Pleasing views
13. Historical ages
14. Disorderly crowd
18. Valuable possessions
21. Cult
22. Called (of donkey)
24. Venomous snake
25. Solemn vow
26. Fir tree
27. Correct (text)
28. Eye droplet
29. Fish skin flakes

DOWN

1. Despite this
2. Allow inside
3. Radio control knobs
4. Hot spice
5. Numbs
6. Insistent
12. Afflict
15. Medium
16. Meat retailer
17. Made possible for
19. Knight's title
20. Melancholy
22. Musical groups
23. First Greek letter

ACROSS

1. One who solicits votes
5. Across
7. College test
8. Tidiness
9. Pencil-mark remover
12. Erroneously
15. Taunted
19. Rose high
21. Computer-based inventory
22. 100th of dollar
23. Watched
24. Rectified

DOWN

1. Grinned suggestively
2. Explosive weapons
3. Interior
4. Shocking ordeal
5. Possessors
6. Impetuously
10. Dull throb
11. Nobleman
12. Trend
13. Company emblem
14. On any occasion
15. Asian food item
16. Insist on
17. French pastry
18. Prepared (manuscript)
19. Locomotive power
20. Shorted

ACROSS

1. Rot
7. Pool athletes
8. Of kidneys
10. Dilapidated
12. Originates (from)
14. Feral
16. Worry
17. Butcher's choppers
20. Limestone cave formation
23. South American dance
24. Green gems
25. Beijing is there

DOWN

1. Hold up to ridicule
2. A long way off
3. Nocturnal birds
4. Daub
5. Pocket blades
6. Climb
9. Tibetan monks
11. Sickened
13. Snake-like fish
15. Goes without food
16. More rapid
18. Musical composition
19. Lacking originality
21. Constructed
22. Every single

ACROSS

1. Stifle
4. Praise highly
7. Window shelters
8. Little crown
9. Conceitedly
12. People taken from danger
15. Specimens
17. Pitiful
18. Interlace on loom
21. Marriage dissolution
22. Rogue
23. Loitered

DOWN

1. Restore
2. Using oars
3. Trilled
4. Compass direction
5. Gave therapy to
6. Flowing volcanic rock
10. Screams
11. Ribs to hips region
13. Dotted
14. Card game
16. Putrid
18. Candle string
19. Rim
20. Keen

ACROSS

1. Girl Guides & Boy ...
5. Imperial length unit
7. Satellite path
8. Paint roughly
9. Not here
10. Scent followed by sniffer dogs
11. Boxing hold
13. Eye membrane
14. Harm
18. Beauty queen ribbons
21. Immigration permit
22. Extracting moisture
24. Prepared
25. Piebald
26. Forearm bone
27. Golfer's two under par
28. Ancient
29. Places of interest

DOWN

1. Enticed
2. Of the city
3. Country, ... Africa
4. Acquires
5. Sloped writing style
6. Deadly poison
12. Gearwheel tooth
15. Originating
16. Gave (medal)
17. Trade boycott
19. What we breathe
20. Gestures
22. Dutch levee banks
23. Immature

ACROSS

1. Upright
5. Pats
7. Street
8. Clutching
9. Rented
12. Climatic conditions
15. Deeply desired
19. Unrefined
21. Geometric shape
22. Citrus peel
23. Slip sideways
24. Spectators

DOWN

1. Masculine
2. Sea rhythms
3. Kept behind bars
4. Federation
5. Pill
6. ... & signora
10. Sector
11. Receive (salary)
12. Married
13. As well
14. Perceive aurally
15. Adolescents
16. Reimbursed
17. Puzzle
18. Interfere
19. Set of beliefs
20. Concur

ACROSS

1. Talk
7. Expulsion
8. Sloped
10. Fearsome
12. Anything that
14. Departed
16. Dull
17. Courted
20. Significant
23. Domesticated
24. Tester
25. Rocky

DOWN

1. Unhealthily yellowish (skin)
2. Father's sister
3. Almost closed
4. Mock
5. Industrious quality
6. Horse-head chess piece
9. Native American tent
11. Twin-hulled vessel
13. Self-image
15. Entire range
16. Got rid of
18. Lethal
19. Legal
21. Mirth
22. Concluding

ACROSS

1. Most heated
4. Dock
7. Pillage
8. Public square
9. Sewing yarn
12. Confectionery packets
15. Surpassed
17. Lessened
18. Way in
21. Citrus fruits
22. Classical musical drama
23. Foundry kiln

DOWN

1. Birthright
2. Conversed
3. Neat
4. Distort
5. Displayed
6. Hopping insect
10. Resided
11. Black & white mammal
13. Set of symptoms
14. Scurry
16. Pub
18. Resounding noise
19. Hindu meditation
20. Abandoned infant

ACROSS

1. Slander
5. Strike with foot
7. Not tight
8. Small lake
9. Close by
10. Pixie-like
11. Food store
13. Tide movements, ...
    & flows
14. Jeopardy
18. Make certain
21. Round door handle
22. Degraded
24. Plait
25. Window ledge
26. Open mouth wearily
27. Sidestep
28. Tinted
29. Olympic throwing
    plate

DOWN

1. Pied
2. Lent a hand to
3. Older of two
4. Perplex
5. Dogs' houses
6. Room
12. Scrape (out a living)
15. Yearly stipend
16. Jabbered
17. Fugitive
19. Pen tip
20. Conclusions
22. Counted up
23. Deep chasm

ACROSS

1. Most unpleasant
5. Minuscule amount
7. Front of ship
8. Reposition
9. Inborn
12. Concentrated solution
15. Freed of dirt
19. Oily mud
21. Policy of non-violence
22. Creative thought
23. Told untruths
24. Possible culprits

DOWN

1. Table linen item
2. Paris landmark, The Eiffel ...
3. Was incorrect
4. Long claws
5. Provoke
6. Take reprisals for
10. Wait, ... one's time
11. Equally balanced
12. Terminate
13. Aquatic mammal
14. Requirement
15. Urge
16. Joined forces (with)
17. Supplies
18. Sums up
19. Drainage pits
20. Amalgamate

ACROSS

1. Person, ... being
7. Reposition (troops)
8. One-on-one fights
10. Environmental
12. Appreciative
14. Daunts
16. Lively dance
17. Beneath the waves
20. Autographs
23. Identified
24. Women's underwear
25. Scientist, Sir ... Newton

DOWN

1. Obscuring
2. Wheel spindle
3. Chiming instrument
4. Measure heaviness of
5. Wristwatch-hands direction
6. Recurrent periods
9. Spiral fastener
11. Saving from potential loss
13. Grecian vase
15. Number of days in a week
16. Bump roughly
18. Sharp-tasting
19. Estimated age of
21. Module
22. Sinks in middle

ACROSS

1. Natural (of food)
4. Leg/foot joint
7. Of the heart
8. Haul
9. Only
12. Canines
15. Immerse
17. High-gloss paint
18. Sailing boat
21. Oblivious
22. Stinks
23. Sniffed

DOWN

1. Road bridge
2. Astonished
3. Metal currency
4. Raise (eyebrows)
5. Worked (dough)
6. Fencing sword
10. Annual periods
11. Flood barrier
13. Scooped out
14. Vague
16. Keg
18. Belonging to you
19. Vats
20. Platform

CROSSWORD 16

ACROSS

1. Levels
5. Remove wrapping from
7. Fishhook points
8. Uterus
9. Inclination
10. Clergyman
11. Hinder
13. Plot
14. Drifts (into coma)
18. Served (soup)
21. Loose hair strand
22. Rang (of bells)
24. Stage
25. The ... of Capri
26. Number of cat's lives
27. Happen again
28. Invites
29. Job payment

DOWN

1. Timber-cutting factory
2. Easy pace
3. Superior to
4. Vital
5. Took (power) forcibly
6. Reduce in worth
12. Female rabbit
15. Pen names
16. Evening repasts
17. Wound with claw
19. Positive vote
20. Frail with age
22. Equals
23. Make void

ACROSS

1. Sleepily
5. Incapacitate
7. Vocal solo
8. Moved restlessly
9. Puzzling question
12. Headache remedy
15. Conflicted (with)
19. Legendary
21. Progressed
22. Male monarch
23. Parched
24. Scientific ideas

DOWN

1. Outlines
2. Introduces to solid food
3. Deduce
4. Sings alpine-style
5. Swiss cereal
6. Up-to-date
10. Greenish blue
11. Engrave
12. In addition
13. Cougar
14. Spool
15. Droning insect
16. Thread
17. Draw out
18. Maxims
19. Soft toffee
20. Bread maker

ACROSS

1. Essential
7. Most humorous
8. Up to the time
10. Convalescent home
12. Grabs
14. Narrow
16. Swallow nervously
17. Cooking vessels
20. Newspaper's demographic
23. Underground molten rock
24. Movie outline
25. Nifty

DOWN

1. Crypts
2. Line of rotation
3. Surrounding atmosphere
4. Gold brick
5. Elated
6. Pollen-producing part
9. Gate fastener
11. Room decor material
13. Deer
15. Miner's land reserve
16. Gaudy
18. Unhurried (pace)
19. Tin or lead
21. Slithered
22. Sudden pain

ACROSS

1. Hospital career
4. Before expected
7. Property size
8. Roves
9. Befuddled
12. Restate (position)
15. Sword holder
17. Gives way
18. Underground worker
21. Word conundrum
22. Personal glory
23. Poisoning by fumes

DOWN

1. Tells
2. Reaping blade
3. Objective
4. Pitcher
5. Despoils
6. Barks shrilly
10. Nightmare, bad ...
11. Behind schedule
13. Unquestioning
14. Portrayed in oils
16. Foot levers
18. Member of religious order
19. Knocks sharply
20. Group of workmen

ACROSS

1. Shock absorber
5. New Orleans music
7. Shrub border
8. Actor, ... Baldwin
9. Military equipment
10. Wall fresco
11. Undergo change
13. Overlook
14. Italian sausage
18. Abstain (from)
21. Cradle
22. Discontinued
24. Become liable for
25. Smile
26. Body of ship
27. Overweight
28. Has to repay
29. Muse

DOWN

1. Dam-building creatures
2. Central (point)
3. Nursery verse
4. Decorated
5. Enviously resentful
6. Walking corpses
12. Pep
15. Flight staff
16. Pure white animals
17. Frozen drops
19. Preceding day
20. Small child
22. Move stealthily
23. Pale

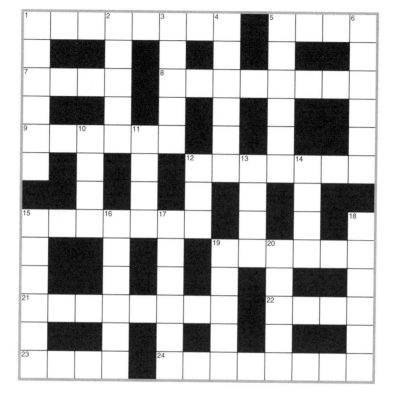

ACROSS

1. Revenue earning cargoes
5. Generous
7. Flightless New Zealand bird
8. Theatrical
9. Park warden
12. Table-top support
15. Changing room
19. TV reception pole
21. Moving (hips)
22. Twist in hose
23. Blocks (river)
24. Greatly enjoyed

DOWN

1. Embers stirrers
2. Reclining
3. Viper
4. Ice performer
5. Australian marsupials
6. Ten years
10. Insensible
11. Heroic tale
12. Golf-driving mound
13. If not, or ...
14. Move on tarmac
15. Scratched
16. Reflections
17. Less industrious
18. Satisfied (thirst)
19. Guardian spirit
20. Lawn tools

ACROSS

1. Formal arguments
4. Hot water burn
7. Invoice
8. Sober
9. Smoothed (wood)
12. Speeches
15. Rush headlong (of herd)
17. Subtle shade of meaning
18. Discharged gun
21. Unstable
22. Bears in mind
23. Scribbled absent-mindedly

DOWN

1. Syrian capital
2. Shopping corridor
3. Spurn
4. Congeals
5. Pilot
6. Action
10. Gives medicine to
11. Consumed
13. Yelled
14. String-knotting art
16. Barred
18. Marine creature
19. Adds soundtrack to
20. Took advantage of

ACROSS

1. Highest point
5. Calf meat
7. Cousin's father
8. Ellipse
9. Ensuing
10. Personality feature
11. Language characteristics
13. Atop
14. Vehicle depot
18. Not casual (attire)
21. Roman robe
22. Requiring little skill
24. Watery-eyed
25. Wan
26. Perform again
27. Goat mammary gland
28. Guided inspection
29. Snake sounds

DOWN

1. Going fast
2. Arctic shelter
3. Feels sore
4. Grated
5. Undertaking
6. Worried
12. Large cup
15. Green fruit
16. Unpaid sportsman
17. Small chores
19. Caviar
20. Daffodil shades
22. One of the Magi's gifts
23. Standards

ACROSS

1. Undisputed
5. Irritation
7. Artist's naked model
8. Personifies
9. More taut
12. Ushers
15. Loss of memory
19. Painters' stands
21. Pilfering
22. Likable
23. Figures
24. Enhances

DOWN

1. Intricately decorated
2. Coral shipping hazards
3. Actress, ... Garson
4. Underground stems
5. Blue-violet
6. Silences
10. Sign-light gas
11. Large Australian birds
12. Period of time
13. Havana is there
14. Motorist's fury, road ...
15. Mistreats
16. Compositions
17. Strike (match)
18. Estimate (damages)
19. Enthusiastic
20. Of sound

ACROSS

1. Monarchy
4. Tough trousers
7. Very small
8. Do business
9. Drove (cattle)
12. Vulnerability
15. Sailor
17. Radio crackle
18. More senior
21. Without weapons
22. Draught beast harnesses
23. Holds to ransom

DOWN

1. Chef's domains
2. Gnashes (teeth)
3. Office circular
4. Forsake at altar
5. Mortified
6. Cash transaction
10. Old, cool star, red ...
11. Scalp strands
13. Yields
14. Field
16. Underground hollow
18. Whirlpool
19. Sprints
20. Blemish

ACROSS

1. Mauve flowers
5. Object
7. Candle strings
8. Among
9. Muscat is there
10. Collar fold
11. Soup legume
13. Wartime friend
14. Ability
18. Disinclined
21. Applaud
22. Cloth
24. Yellow shade
25. Squash (insect)
26. Car (industry)
27. Leads
28. Nervous
29. Band of minstrels

DOWN

1. Printed handout
2. Accounts check
3. Expand
4. Shoulder blade
5. Seclude
6. Entitles
12. Charged atom
15. Permitted
16. Sympathy
17. Port working vessel
19. By that route
20. Wrap
22. Frozen dew
23. Pilot's code for B

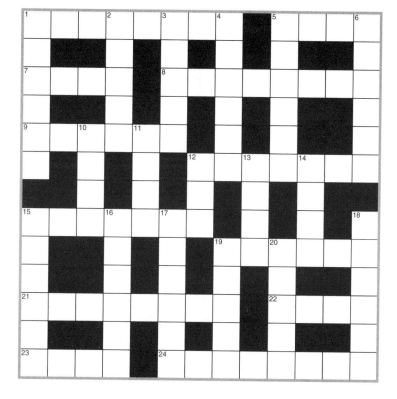

ACROSS
1. Striking difference
5. Fervent prayer
7. Not fast
8. Fearless
9. Hire contracts
12. Overlook
15. Grapple
19. Rural
21. Announced
22. Raise (children)
23. Paddy crop
24. Sun shower arcs

DOWN
1. Fortress
2. Communities
3. Touches at one end
4. Hypnotic state
5. Package
6. Kidnap
10. AM, ... meridiem
11. Revise

12. Formerly named
13. Hindu teacher
14. Departure
15. Shrivel
16. Geometric shape
17. Noisier
18. Rejects with contempt
19. Diameter halves
20. Clean by rubbing hard

ACROSS

1. Sway suddenly
7. Fracture
8. Reflect light
10. Musical instrument
12. Tested
14. On an occasion
16. Rowing aids
17. Incited to action
20. Castle moat crossing
23. Skin sensor
24. Covertly
25. Reserve, set ...

DOWN

1. Bean or pea
2. Winter garment
3. Crustacean with nippers
4. Information item
5. Tolerantly
6. Flow back
9. Sorcery
11. Female family head
13. Deciduous tree
15. Pretend
16. Greatest in age
18. Remove (from text)
19. London's Westminster ...
21. Troubles
22. Snake-like fish

ACROSS

1. Char
4. Backless sofa
7. Storing charge
8. Intends
9. Effect
12. Constant
15. Eminence
17. Covered with cloth
18. Peruvian mammal
21. Acted in response
22. Zones
23. Matching up

DOWN

1. Smudging
2. Lemon or orange
3. Tidy
4. Judge
5. Thiamine or riboflavin
6. Acorns or cashews
10. Melodies
11. Facial hair
13. Resenting
14. Due for settlement
16. Job path
18. Tibetan monk
19. Circle curves
20. Table light

ACROSS

1. Common seasoning
5. Rhythm
7. Remove completely
8. Moist
9. Slant
10. Extreme
11. Counterbalance
13. Sea phase, low ...
14. Skewers of meat
18. Going on horseback
21. Collar fastener
22. Not transparent
24. Happen
25. Single article
26. Links game
27. Strange
28. Avid
29. Contrite

DOWN

1. Detachable lock
2. Plumbing tubes
3. Disprove
4. Colleague
5. Tardy
6. Leave (sinking ship)
12. Wane
15. Qualify
16. Stomach
17. Witchcraft
19. Scamp
20. Joyful
22. Instruction
23. Debate

ACROSS

1. Made flexible, ... up
5. Increased
7. Petty quarrel
8. Fluid seepages
9. Exhilarated
12. Scrapes (riverbed)
15. Reduce weight of
19. Regard highly
21. Satisfied
22. Poke
23. Bellow
24. Effluent pipes

DOWN

1. Written communication
2. Suit
3. Governed
4. Desk compartment
5. Assessed
6. Desires
10. Very eager
11. Radiate
12. Lair
13. Furthermost limits
14. Clarified butter
15. Not so much
16. Female calf
17. Ousts from property
18. Smear
19. Bequeath
20. Candle

CROSSWORD 32

ACROSS
1. Regard smugly
7. Soothing lotion
8. Dull thumps
10. Unconventional people
12. Declare again
14. Author unknown
16. Bee nest
17. Rainbow's band of hues
20. Limply
23. Strands of threads
24. Passenger lift
25. Peculiarly

DOWN
1. Assemble
2. Attendant
3. Keep for future use
4. Social system
5. Idealist
6. Teaching session
9. Scrape (shoes)
11. Seeks (opinions)
13. Tear
15. Frostily
16. More sacred
18. Boggy
19. Church table
21. Wearing footwear
22. Enclosed area

ACROSS

1. Of the Pacific or Atlantic
4. Contact
7. Hard to catch
8. Special skill
9. Meeting schedule
12. Religious dissenters
15. Average
17. Income cheat, tax ...
18. Exit
21. Promotional device
22. Complains
23. Murdering

DOWN

1. Fruit groves
2. In poor health
3. Front of jaw
4. Smell strongly
5. Stomach-settling medicine
6. Hind leg joint
10. To the fore
11. Rough
13. Boxing
14. Mosquito-borne fever
16. Scoundrel
18. Tower (over)
19. Farm produce
20. Go wild, run ...

ACROSS
1. Consult together
5. Stunned state
7. Fire fragment
8. Finger band
9. Affirm
10. Small notches
11. Eases off
13. Confiscated
14. Speared
18. Deceptive traps
21. Clean break

22. Develop into
24. Piano key material
25. Variety
26. Pledge
27. Cuban dance
28. Tallies
29. Tugged sharply

DOWN
1. Cut short
2. Boxing match
3. Horse control straps
4. Flee

5. Radical
6. Scientific study of animals
12. Poet's word for before
15. Pestered
16. Office duplicators
17. Twists out of shape
19. Facial feature
20. Fumed
22. Secondary route
23. Royal headwear

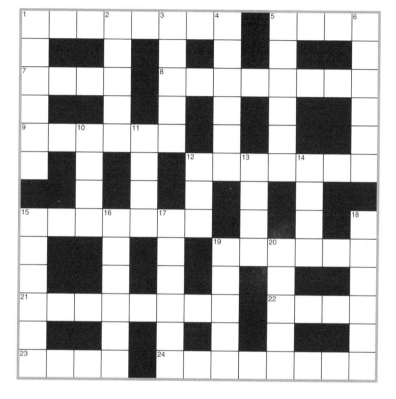

ACROSS

1. Divide
5. Large town
7. Piece of foliage
8. Nut-gathering rodent
9. Praises highly
12. Docked (of ship)
15. Titled men
19. Drew closer to
21. Minor dispute
22. Prepare (the way)
23. Bird of peace
24. Anticipation

DOWN

1. Blood-filtering organ
2. Terrible
3. Horse-like animals
4. Regard as equivalent
5. Orange vegetable
6. Shouted
10. Opposed to
11. Trades college
12. Commuter vehicle
13. Fragrant flower
14. Inheritor
15. Touched lips
16. Move in circles
17. Extended family groups
18. Stick (to)
19. Necessities
20. Orchard fruit

ACROSS

1. Common cereal
7. Craved drink
8. Planted (seeds)
10. Open to discussion
12. Illustrations
14. Insincere (of speech)
16. Envelop
17. Harsher
20. Shifting
23. Steam bath
24. Everlasting time
25. Inquired

DOWN

1. Squandered
2. Yemen port
3. Central US state
4. Intelligence organ
5. Steadiness
6. Verb modifier
9. Satan, The ...
11. Computer facts programs
13. Obtain
15. Occupies completely
16. Cricket bowler's target
18. Return to custody
19. Severe pain
21. Performs
22. Heads of corn

ACROSS

1. Living plant collections, ... Gardens
4. Spoken exams
7. Unlatches
8. Taunt
9. Journey
12. Jurisdiction
15. Glass fitters
17. Citrus fruit
18. Furnaces
21. French castle
22. Proprietor
23. Spanned

DOWN

1. Conducting oneself
2. Yearly
3. Lacking warmth
4. Unseat from power
5. Achieves
6. Profoundly wise
10. Fencing blades
11. Human trunk
13. Made beloved
14. Athletics field event
16. Risk
18. Greek liquor
19. Disfiguring mark
20. Post of doorway

ACROSS

1. Holiday memento
5. Mutilate
7. Inhale sharply
8. Shareholders' pay
9. Brings to bear
12. Easily
15. Layered timber
19. Bank cashier
21. Evident
22. Annoys
23. Head covering
24. False opinion

DOWN

1. Wrote name
2. Venomous serpent
3. Nodules
4. Withdraw
5. Spain's capital
6. Change
10. Jealousy
11. Musical threesome
12. Clown's prop, ... nose
13. Land measure
14. Cult hero
15. Deliver sermon
16. Sorcerer
17. Displease
18. Correctional institution
19. Add up to
20. Animal dens

ACROSS

1. World map book
7. Trilling
8. Fruit pulp
10. Dark outline
12. African or Indian mammal
14. Tiny insects
16. Regulations
17. Decreed
20. Sending ahead
23. Raw vegetable dish
24. Breathing out
25. Look fixedly

DOWN

1. Eagerly desire
2. Hatchets
3. Notes & coins
4. Concerning
5. Hearing, ... to
6. Concurs
9. Octet number
11. Fit to sail
13. Neither
15. Chess pieces
16. Raised high
18. Lag behind
19. Shopping complexes
21. Damp & cold
22. Manner of walking

ACROSS

1. Imagined
4. Woven fabric
7. Spanish rest periods
8. Guitar sound
9. Large lizard
12. Praises excessively
15. Absconders
17. Go aboard ship
18. Aviator
21. Improve in quality
22. Fashion
23. Cut violently

DOWN

1. Follower
2. Creature
3. Calendar entry
4. Knowledge quiz
5. Pierces with spear
6. Lengthy
10. Later on
11. Reason
13. Nauseated
14. Study of environment
16. Houses
18. Writing implements
19. Cylinder
20. Grows old

ACROSS

1. Craven person
5. Functions
7. Squares (up)
8. Rip
9. Radiance
10. Banish
11. South American vulture
13. Metal track
14. More effortless
18. Red salad root
21. Storybook monster
22. University award
24. Monks' home
25. Cure
26. Ride waves
27. Flax cloth
28. Reside
29. Humble oneself

DOWN

1. Fingernail skin
2. Ventilated
3. Adjourn to a future date
4. Convey
5. Escorted (to seat)
6. Choux pastries, chocolate ...
12. An individual
15. Supplement
16. In a perfect world
17. Stealing from
19. Top pilot
20. Attentive
22. Becoming extinct, ... out
23. Hearty enjoyment

ACROSS

1. Speaking indistinctly
5. Just manages,
   ... out a living
7. Female sheep
8. Sword sheath
9. Detest
12. Allows
15. Able to be heard
19. Unwind
21. Most remarkable
22. Outlaid money
23. Drove fast
24. Made stable

DOWN

1. Submissively
2. Surrounded &
   harassed
3. Magazine edition
4. Quick look
5. Preserve (corpse)
6. Moves furtively
10. Imitated
11. Parsley or mint
12. Pastry dish
13. Mar
14. Towards interior of
15. Straightens
16. Land enclosed by
   water
17. Defeated people
18. Flew without power
19. Disentangle
20. Got by

ACROSS

1. Work (dough)
7. Guests
8. Ancient remnant
10. Country-wide
12. Flowed out (from)
14. Faculty head
16. Hand-warmer
17. Abodes on wheels
20. River vessel
23. Food topping
24. Joined armed forces
25. Loose

DOWN

1. Japanese martial art
2. Similar
3. Suva is there
4. Keyboard instrument
5. Male law officer
6. Rearward (nautical)
9. Venetian waterway
11. Yellow bulb flowers
13. Historical period
15. Epic tales
16. Cleaned (floor)
18. Mouse noise
19. Poker hand, royal ...
21. Lost blood
22. Above average height

ACROSS

1. Sculptor's tools
4. Tropical fruit
7. Desolate
8. Unoccupied
9. Representing, on ... of
12. Trainees
15. Negative consequence
17. Formed
18. Implant
21. Foolishly
22. Setting
23. Rapped

DOWN

1. Disintegrated
2. Campaign motto
3. Reveal
4. No longer here
5. Modified
6. Sailor's greeting
10. Jumping parasites
11. Excursions on foot
13. Followed secretly
14. Leaf vegetable
16. Pungent bulb
18. Immense time spans
19. Feast
20. Wine vat

ACROSS

1. Escape vent
5. Deception
7. Conscious (of)
8. Grecian vases
9. Display frame
10. Trademark
11. Stamina
13. Curly-horned alpine goat
14. Word processor operator
18. Hours of darkness
21. Leak
22. Forward
24. Once more
25. Lyrical poems
26. Title
27. Velvety leather
28. Slothful
29. Lobs

DOWN

1. Luxurious
2. Light-ray tool
3. Brindled cat
4. Movable dwelling
5. Rounding up (cattle)
6. Archaic
12. Heating fuel
15. Bowed to the inevitable
16. Stalemate
17. Twisted sharply
19. Tavern
20. Makes unhappy
22. Beginning
23. Eye signals

ACROSS

1. More nauseous
5. Incendiary device
7. Had to repay
8. Granting
9. Aside from
12. Boasted
15. Glove material
19. Joined forces, ... up
21. Humanity
22. Male elephant
23. Small cubes
24. Steams in the sun

DOWN

1. Cited
2. Muddle
3. Improper
4. Harvester
5. Mattress pest
6. Beseeched
10. Printed greeting
11. Wolf group
12. Prohibit
13. Pimple condition
14. Low in spirits
15. Booted ball
16. Pacify
17. Bays
18. Grown-ups
19. Sample
20. Monastery superior

ACROSS

1. Proven details
7. Christian cross
8. Fend off
10. Desert gales
12. Longing (for)
14. Obligation
16. Hideous
17. Plan of attack
20. Witch's transport
23. Wading bird
24. Goading
25. Continually provided

DOWN

1. Rigidly
2. Neckwear items
3. Stepped (on)
4. Sharp (pain)
5. Offended
6. Has life
9. Turfed areas
11. Swelled dramatically
13. After tax
15. Third month
16. Become less formal
18. Sighed sleepily
19. More than sufficient
21. Huge amounts
22. Capsize, ... over

ACROSS

1. Come undone
4. Remain upright
7. Water supply tradesman
8. Put into effect
9. Delivery task
12. Re-evaluate
15. Scaremonger
17. Slithers
18. Doubter
21. Fateful
22. Encrypted
23. Walked like duck

DOWN

1. Rain shield
2. Not submerged
3. Experiment rooms
4. Positive
5. Grazes
6. Eat to slim
10. Sink outlet pipe
11. Ceases
13. Added spices to
14. Gibed
16. Fluid
18. Fashionable
19. Rope
20. Observe

ACROSS

1. Render weaponless
5. Baby-bottle top
7. In need of scratching
8. Snatch
9. Wander
10. Add-on
11. Appeared to be
13. Timber fastener
14. African wildlife tour
18. Croaked
21. Wound crust
22. Concrete ingredient
24. Dog lead
25. Indian gown
26. Finish-line ribbon
27. Nook
28. Urban haze
29. Criminals

DOWN

1. Absorbs (food)
2. Soundtrack CD
3. Performed charade
4. Spread
5. Cruel rulers
6. Greed
12. Make slip-up
15. Recognition
16. Strolling
17. Early childhood
19. He is, they ...
20. Acts indecisively
22. Main
23. Motorists' inn

ACROSS

1. Dislodge (jockey)
5. Prolonged unconsciousness
7. Blacken by fire
8. Repaired (artwork)
9. Stage whispers
12. Affects with disease
15. Line of hereditary rulers
19. Japanese hostess
21. External
22. Pressing appliance
23. Nurture
24. Herb

DOWN

1. Unclothed
2. Bitter (taste)
3. Mends with wool
4. Naval flag
5. Preference
6. Examines (accounts)
10. Holy picture
11. Deciduous trees
12. Climbing vine
13. Front of head
14. Makes dove sound
15. Gobi or Sahara
16. Be present
17. Smaller
18. Mostly
19. Hindu teachers
20. Phrase

ACROSS

1. Alcoves
7. Agreeable
8. Scold
10. Blessed
12. Twelve-month old horse
14. In contact with
16. Grizzly animal
17. Perfectionist
20. Sites
23. Beauty shop
24. Dazzled
25. Night sky objects

DOWN

1. Politely
2. Young goats
3. Power group
4. Glossy fabric
5. Bravely
6. Film production company
9. High-ranking lords
11. Job openings
13. Kernel
15. Feels sore
16. Roar
18. Boxing periods
19. Dismal
21. Long journey
22. Common seasoning

ACROSS

1. Burnt sugar
4. Reproductive organ
7. Swindle
8. Fright
9. Forceful request
12. Runt
15. Chained up
17. Moved from side to side
18. Of past times
21. Physical structure science
22. Military blockade
23. Sets of products

DOWN

1. Funny movies
2. Sports stadiums
3. Give temporarily
4. Gambling chances
5. Of water
6. Oxen harness
10. Reside
11. Female servants
13. Venice canal boats
14. Young pilchard
16. Airfield surface
18. Clumsy louts
19. Back of neck
20. Attire

ACROSS

1. Phase
5. Shut noisily
7. Mental picture
8. Desert hill
9. Other way, ... versa
10. Sultana fruit
11. Finally
13. Travel on horse
14. Crockery item
18. Brutality
21. Kitchen professional
22. Flexed (muscles)
24. Tongue of fire
25. I was, you ...
26. Yacht canvas
27. Hurried
28. Service costs
29. Howled shrilly

DOWN

1. Sells on street
2. Awkward
3. Dirty looking
4. Processions
5. Cut off
6. Formally accepts
12. Untrue statement
15. Track performer
16. Money chests
17. Love story
19. Beer
20. Tampered
22. Elvis Presley hit, ... Bear
23. Of the nose

ACROSS

1. Climb hurriedly
5. Sudden invasion
7. Lamented
8. Clears of blame
9. Shuts
12. Magazine bosses
15. Stuck (to)
19. Seizes (power)
21. Serving ledges
22. Flowing volcano rock
23. Lose (fur)
24. Cause of mountain sickness

DOWN

1. Delivered (blow)
2. Helpers
3. Donkey calls
4. Followed on
5. Give in
6. Dance clubs
10. Pledge
11. On any occasion
12. Conclusion
13. Charged particles
14. On top of
15. Bead-frame calculator
16. Made (wage)
17. Inflammatory skin condition
18. Large property
19. Overturn
20. Dim

ACROSS

1. Edible organs
7. Denigrate
8. Female
10. Legitimately
12. Sketching (plans)
14. Widespread
16. Large cups
17. Wrenched
20. Kept in good condition
23. Beetle grub
24. Graceful style
25. Muslim faith

DOWN

1. Forward
2. A distance
3. Net
4. Petty quarrels
5. Male horses
6. Rewrite on keyboard
9. Half-way golf hole
11. Negotiated a price
13. Short sleep
15. Auctioneer's hammer
16. Associate
18. Deprive of guns
19. Weasel-like creature
21. Linear measure
22. Touches lightly

ACROSS

1. More durable
4. Leaving
7. Funny
8. Employees
9. Metal mixtures
12. Smartly
15. Earl or lord
17. Emerge from sleep
18. Makes joke
21. Public speech
22. Prod with elbow
23. Gain

DOWN

1. Herb, French ...
2. Frolic
3. Horse control strap
4. Concert tour bookings
5. Harms
6. Tennis ace, Steffi ...
10. Rascal
11. Hair dye
13. Most junior
14. Ashamed
16. Flatter
18. Connect
19. Single
20. Part of arrow

ACROSS

1. Glints
5. Fawns' mothers
7. Open wound
8. Actual
9. Of the mouth
10. Familiar
11. Lasciviously
13. Fleur-de-lis plant
14. Mexican flower
18. Earmarked
21. Rear
22. Portable
24. Fill with joy
25. Chopped down
26. Germination pod
27. Do well (at)
28. Looked at warily
29. Moment in time

DOWN

1. Incoherent
2. Became ill
3. Moody
4. Gymnast
5. Humming tunelessly
6. Test
12. Hawaiian garland
15. Dance school
16. Compared
17. Move forward
19. In the past
20. Greatly feared
22. Lunches or dinners
23. Elementary

ACROSS

1. Dangerously
5. Clay lump
7. Suspended
8. Mounted Spanish bullfighters
9. Probable
12. Regards highly
15. Burial service
19. Pursued closely
21. Wildly excited
22. Mausoleum
23. Lively
24. Show to be false

DOWN

1. Maintain (law)
2. Use fishing rod
3. Vacant
4. Sailing boats
5. Hug
6. Crockery items
10. Brick-baking furnace
11. Perjurer
12. Conger or moray
13. Bass brass instrument
14. Wicked
15. Flotillas
16. Of the soil
17. Waned
18. Fit for consumption
19. Sewn folds
20. Bury

ACROSS

1. Percussion instruments
7. Propose for office
8. Bravery badge
10. Large hairy spiders
12. Sifted through
14. Did breaststroke
16. Camel's lump
17. United
20. Bulging
23. Three-foot lengths
24. Puts into bondage
25. Much of the time

DOWN

1. Fiends
2. Castle water barrier
3. Hindu meditation
4. Leans
5. Rolling (in mud)
6. Discarded cargo
9. Knight's spear
11. Rural residence
13. Sense of self
15. Black timber
16. Jumped on one leg
18. Small plum
19. Floorboard noise
21. Tinted
22. Fish-landing pole

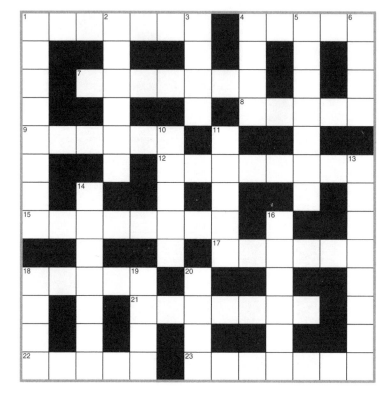

ACROSS

1. Entangled
4. Prostrate
7. Small medicinal sweet
8. Leashes
9. Moves to music
12. Occasion
15. Ventured forth
17. Sitting down
18. Bookcase part
21. Refugee
22. Wood-turning machine
23. Entertained well

DOWN

1. Hepatitis symptom
2. Decorative pin
3. Dip into drink
4. Pare
5. Narcotic drugs
6. Large deer
10. Becomes submerged
11. Corrosive substances
13. Offered
14. Side-by-side
16. Photographer's tool
18. Dirt
19. Festival
20. Scalp growth

ACROSS

1. Mystery
5. Meditation routine
7. Classical musical drama
8. Rational
9. Flank
10. Educate
11. Feeling of revulsion
13. Postal items
14. Restaurant patrons
18. Trekkers
21. Rider's spike
22. Pure white animal
24. Alphabetical listing
25. Independent
26. Verge
27. Be merciful to
28. Ink stain
29. Four-door cars

DOWN

1. Perfume concentrate
2. Speculate
3. Main artery
4. Return bout
5. Muslim woman's veil
6. Dizzier
12. Tip of grain
15. Clothes
16. Weirdest
17. Garden timepiece
19. Out of sorts
20. Intermittent rain
22. Wheel shafts
23. Lose blood

ACROSS

1. Adopted battle formation
5. Wove
7. Forearm bone
8. Gaining knowledge
9. Removes completely
12. Crisp
15. Unkindest
19. Large African monkey
21. Relapses in recovery
22. Sketched
23. Perished
24. Blushed

DOWN

1. Extinguishes
2. Rests
3. Egg yellows
4. Desk compartment
5. 14-line poem
6. Cancel out
10. District
11. Lessen
12. Nocturnal mammal
13. Novel thought
14. Filled tortilla
15. Formed a crowd
16. Made insensitive
17. UFO, flying ...
18. Chewed like rat
19. Founded
20. Shift

ACROSS

1. Skewered meat dish
7. Looks for
8. The same
10. Sixtieth, ..., eightieth
12. Stiffened (fabric)
14. Festival
16. Newts
17. Brings
20. Full-length
23. Outmoded
24. Skilled
25. South American mountains

DOWN

1. Works (dough)
2. Unfortunately
3. Measure (out)
4. Guitar-neck ridges
5. Footwear manufacturer
6. Respiratory ailment
9. Blood-sucking worm
11. Not wholly
13. Just manage, ... out a living
15. Pumped through tube
16. Explodes (of volcano)
18. Skids
19. Salty water
21. Antlered animal
22. Daybreak

ACROSS

1. Unpredictable
4. Scorpion poison
7. Trainee
8. Bread-raising agent
9. Frozen peak
12. Flying around (planet)
15. Assess
17. Numb
18. Birds' bills
21. Defeat soundly
22. Kingdom
23. Avoiding (capture)

DOWN

1. Suitable (bachelor)
2. Office
3. Sugar source
4. Exceedingly
5. Wandering (tribe)
6. Edible flesh
10. White animal, ... bear
11. Waned
13. Crushing
14. Indonesian capital
16. Spoiled (of butter)
18. Brewery product
19. Plant stalk
20. Whet

ACROSS

1. Let for rent
5. Cattle prod
7. Increased
8. Tiny amount
9. Not quite closed
10. Encounters
11. Except when
13. Warm up
14. Readily
18. Staid
21. Single combat
22. Zigzagged (through traffic)
24. Lower leg joint
25. Indication
26. Passport endorsement
27. Feasted
28. Spectacles glass
29. Fissures

DOWN

1. Relaxation time
2. Remove whiskers
3. Oil containers
4. Declares
5. Ground (teeth)
6. Inflexible
12. Spanish coast, Costa del ...
15. Offensive
16. Small land masses
17. Pulling
19. Mother sheep
20. Makes beloved
22. Unwanted plants
23. Blacksmith's block

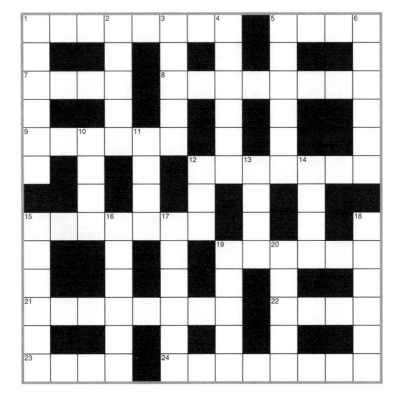

ACROSS

1. Supplied funds for
5. Fencing blade
7. ... & papa
8. Tolerable
9. Containing bullets
12. Psychiatrist
15. Study of past events
19. Legends
21. Native American hatchet
22. No part
23. Bird's unhatched young
24. Perceives

DOWN

1. Woman
2. Hollywood prize, Academy ...
3. Cut into small squares
4. Mythical flying reptile
5. Tooth material
6. Excused (from tax)
10. Egyptian snakes
11. Reflected sound
12. Some
13. Radiance
14. Scream
15. Jostle
16. Court hearings
17. Respect, ... highly
18. Escorts
19. Forgeries
20. Spree

ACROSS

1. Breaks promise
4. Shake with fear
7. Gin cocktail
8. Period
9. Natural history building
12. Contested court decision
15. Lack of hearing
17. Grumbled
18. Letterhead insignias
21. Tanned animal skin
22. Submit
23. Trap

DOWN

1. Refurbished
2. Eluded (capture)
3. Large boat
4. Witty remark
5. Good-naturedly
6. Otherwise
10. Creator
11. Muscle twitch
13. Task-completion date
14. Luggage
16. Inn
18. Pond flower
19. Skidded
20. Evaluate

ACROSS

1. Squanders
5. Feral
7. Small crown
8. Belonging to you
9. Gap
10. Beyond our planet, outer ...
11. Over again
13. Coral barrier
14. Short pointed knife
18. Least polite
21. In a casual way
22. Wound (of river)
24. Slide on ice
25. Insignificant
26. Business note
27. Stands on hind legs
28. Invites
29. Withstand

DOWN

1. Ambushed
2. Concise
3. Hoard
4. Supervisor
5. Hesitated
6. Lingers
12. Observe
15. Postal destination
16. Hot water springs
17. Absconder
19. Large vase
20. Frog stage
22. Perceive
23. Pointed (gun)

ACROSS

1. Soldiers on watch
5. Pig fat
7. Arm or leg
8. Dormant
9. Modern
12. Having whiskers
15. Young adulthood
19. More just
21. Meekest
22. Necessity
23. ... & duchess
24. Merited

DOWN

1. Income
2. Statistics chart
3. Simpleton
4. Sculpted figure
5. Last one mentioned
6. Ate sparingly
10. Infant's bed
11. Within range
12. Inlet
13. Singer's solo
14. Room opening
15. Shoved
16. Permit
17. Cotton strand
18. Exchanged
19. Destinies
20. Inside

ACROSS

1. Fourth month
7. Got
8. Face disguises
10. Shrieking
12. Nonprofessionals
14. Beats tennis opponent with serve
16. Donate
17. Blocked from view
20. Bared (claws)
23. Subdued
24. Hand bombs
25. Established practice

DOWN

1. Fleet of warships
2. Printing fluids
3. Double-reed instrument
4. Livestock farm
5. Not genuine (sentiment)
6. Proverbs
9. Spiral nail
11. Gathered (crops)
13. Apply friction to
15. Group of eight
16. Resentment
18. Trawl (riverbed)
19. Lebanese tree
21. Foot digits
22. Water barriers

ACROSS

1. Befitting
4. Intended
7. Get ready
8. Australian marsupial
9. Enlarge
12. Resident
15. Stirring utensil
17. Fed on pasture
18. Communications industry
21. Without assistance
22. Middle
23. Tangled

DOWN

1. Army rank
2. Menacing warning
3. Take rudely
4. Humble, ... & mild
5. Predictions year book
6. Canned fish
10. Extinct birds
11. Freezing over
13. Twirled (thumbs)
14. Used oars
16. Merriest
18. Mutilate
19. Female relative
20. Dentist's mouth covering

ACROSS

1. Fronting
5. Snare
7. Senseless (comment)
8. Long and limp (hair)
9. Sport squad
10. Feel with fingers
11. Positive electrodes
13. Saga
14. Barked
18. Plan
21. Word indicating action
22. Meet the cost of
24. Mild-tasting
25. Room divider
26. Cessation
27. Put in (data)
28. Table parts
29. Older people

DOWN

1. Mistaken belief
2. Irritated
3. Presents
4. Gave military greeting
5. Ties up
6. Astonishing
12. Night before
15. Par
16. Small round stones
17. Leaves
19. Folklore creature
20. Nodes
22. Worship
23. Manicured (nails)

ACROSS

1. Respected
5. Dog parasite
7. Suva is there
8. Grow bigger
9. Fiction books
12. Compensations
15. Inundated
19. Heavily weighted
21. Returned to custody
22. Smear
23. Periods of time
24. Shake loose

DOWN

1. Filter out impurities
2. In existence
3. Water beads
4. Resolve
5. Spanish festival
6. Warns
10. Power of refusal
11. Noisy
12. Baton
13. Made on loom
14. Highway
15. Savage
16. Atlantic & Pacific
17. Gave off
18. Lacking the ability
19. Ore veins
20. Related to hearing

ACROSS
1. Body part
7. Imaginative
8. Around (that date)
10. Slept through winter
12. Water-landing aircraft
14. Courageous
16. Prevents from speaking
17. Obstruction
20. Wielded (sword)

23. Accumulated money
24. Physical activity
25. Peculiar

DOWN
1. Takes place
2. Curved span
3. Powerful need
4. Cautions
5. Invented (literature)
6. Repaired

9. Supermarket lane
11. Dialects
13. Zero
15. Area measurements
16. Window canopies
18. Worn away
19. Decree
21. Ornamental ribbon
22. Paris cathedral, Notre ...

ACROSS

1. Chafed
4. Butterfly relatives
7. Seizes (aircraft)
8. Rogue
9. Expressed (opinion)
12. Dreamt up
15. Eagerness
17. Ten, ..., twelve
18. Glossy black bird
21. Citrus fruits
22. Wind-borne toys
23. Traipsed

DOWN

1. African anteater
2. For each one
3. Water bird
4. Type of deer
5. Despotism
6. Horse's father
10. Chops in cubes
11. Momentary misjudgment
13. Saturated
14. Domestic employee
16. Protect
18. Hazard
19. Assents with head
20. Floating log platform

ACROSS

1. Completely
5. Hordes
7. Give speech
8. Tree anchor
9. Ridicule
10. Socially unacceptable
11. Entangle
13. Irritation
14. Cold side dishes
18. Engine seal
21. Match before final
22. Card server
24. Ruined Inca city, ... Picchu
25. Roman robe
26. Defendant's statement
27. Express gratitude to
28. Relinquish (territory)
29. In short supply

DOWN

1. Prison guards
2. Supple
3. Teenager
4. Catching (thief)
5. Autobiographies
6. Leg-powered vehicle
12. Piece of turf
15. Amazing
16. Enliven
17. Out of the ordinary
19. Mature
20. Row of houses
22. Water birds
23. ..., beta, gamma

ACROSS

1. Incorporates
5. Clenched hand
7. Soared
8. Commented
9. Womb
12. Wine stores
15. Eighth of mile
19. Wedged forcibly
21. Enumerated
22. Desired result
23. Heavy metal
24. Miserable

DOWN

1. Flood (of visitors)
2. Bring down
3. Ventures
4. Word comparison
5. Ceremonial
6. Neatens
10. Large pitcher
11. Reverse the effects of
12. Gearwheel tooth
13. Tibetan priest
14. Nuclear weapon, ... bomb
15. Ship's chimney
16. Hit (ball) high
17. Slender
18. Confused
19. Arbiter
20. Sorcery

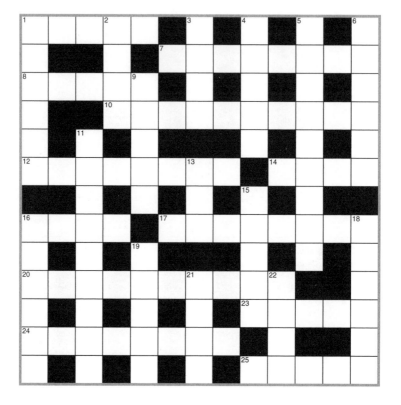

ACROSS

1. Weight measure
7. Fingernail care
8. Standard of perfection
10. Vitality
12. Epithet
14. Tie
16. Paper quantity
17. Complications
20. Arrests
23. Bird of prey
24. Richly
25. Beautify

DOWN

1. Source
2. Steamship fuel
3. Great dislike
4. Bridge designer, ... engineer
5. Adolescents
6. Stopped
9. King cats
11. Discarding
13. Spoil
15. Put up with
16. Cause
18. Partition
19. Fades (away)
21. Morays
22. Dune material

ACROSS

1. Rotated
4. Coldly reserved
7. Weapon
8. Long (for)
9. Trumpeted
12. Lacking compassion
15. News journalist
17. Subtle difference
18. Nimble
21. Awakening
22. Apportion
23. Touching with lips

DOWN

1. Moaner
2. Bird house
3. Radio knob
4. Force of troops
5. Natural (of food)
6. Young deer
10. Wipes down (furniture)
11. Oak kernel
13. Welcoming
14. Visual
16. Man-made waterways
18. Greenish blue
19. Opposite of west
20. Male fowl

ACROSS

1. Raps
5. Tears
7. Garbage
8. US wild cat
9. Component
10. Pulsate
11. Undergo change
13. Absent
14. Italian sausage
18. Canine-borne disease
21. Rushed
22. Inspire
24. Guild
25. Not stereo
26. Palm fruit
27. Up to the time of
28. Allows to
29. Alters (text)

DOWN

1. Smoked herrings
2. Creep
3. Declare
4. Tribal fighter
5. Edible leafstalk
6. Gorilla or monkey
12. Vitality
15. Sanction
16. Strenuous
17. Demands
19. Rock band's sound booster
20. Couches
22. Father's brother
23. Cabin

ACROSS

1. Gun muffler
5. Hat edge
7. Small fenced-in area
8. Medieval farm workers
9. More leisurely
12. Epic journey
15. Allow
19. Pungent bulbs
21. Transforming
22. Handed over
23. Dispatch
24. Outlasts

DOWN

1. Most timid
2. Bequeath
3. Pickled bud
4. Bellowed
5. Fake bullets
6. Mental anguish
10. Neglect
11. Leave
12. Poem
13. Gape
14. Japanese-style wrestling
15. Casts out
16. Pressed
17. Sexual drive
18. Resources
19. Should, ... to
20. Silver bar

ACROSS

1. Mauve flower
7. Gala opening
8. Unnourished
10. Colony
12. Disgraceful events
14. Dull impact sound
16. Theirs & ...
17. Sanitary
20. Ensured
23. Carried on (war)
24. Swap
25. Set of musical notes

DOWN

1. Chuckles
2. Gorillas or chimpanzees
3. Dry (of champagne)
4. Urge to action
5. Communication device
6. Spurted
9. Feats
11. Male family head
13. Produce (egg)
15. Ligament
16. Wild sprees
18. Rebuked
19. Deadly
21. Labels
22. Morse symbols, dot & ...

ACROSS
1. Rise from depths
4. Get on (ship)
7. Flatter to excess
8. More liberated
9. Most recent
12. Large snake
15. Secret collectors
17. Looks forward to
18. Figure out
21. Thief
22. Tour coaches
23. Puts behind bars

DOWN
1. Strong point
2. Animal feed
3. School test
4. Cow meat
5. Insect feeler
6. Cheerless
10. Grabs
11. Light timber
13. Passenger balloons
14. Classical dances
16. Yellow fruit
18. Social bigot
19. Wanes
20. French cheese

ACROSS

1. Sudden outflows
5. Chief
7. Lift with effort
8. Strong cord
9. Loop
10. Harsh metallic sound
11. Air strike
13. Frond
14. Ballroom performer
18. Reply
21. Body powder
22. Urging, ... on
24. Rest on knees
25. Let fall
26. Remake
27. Still
28. Leave out
29. Circles against current

DOWN

1. Musicals star, Judy ...
2. 'Laughing' scavenger
3. Trauma
4. Card game
5. Interrupts (speaker)
6. Stir
12. Billiards stick
15. Jumbled-word puzzle
16. Aircraft flight deck
17. Utterly fascinated
19. Old horse
20. Sectors
22. Exclusive
23. Injured with horns

ACROSS

1. Three-sided object
5. Anger
7. Small city
8. Trembled
9. Serving spoons
12. Dislikes
15. Responded to stimulus
19. Bible songs
21. Each person
22. Dress-up toy
23. Strike (toe)
24. Rainbow's band of hues

DOWN

1. Adds up to
2. Cancel (marriage)
3. Donates
4. Newly conceived baby
5. Display boldly
6. Sings Swiss alpine-style
10. Facts
11. Prepare for publication
12. Jar top
13. Ventilates
14. Drag forcibly
15. Readjusts
16. Angelic being
17. Print with raised design
18. Political refuge
19. Fragment
20. Examine (accounts)

ACROSS

1. Imaginative plans
7. No matter what
8. Locate
10. Protects
12. Towed carts
14. Level
16. Crab pinches
17. Affixed
20. Opinions
23. National heroes
24. Improves
25. Snooped

DOWN

1. In one piece
2. Curving lines
3. Sandal or boot
4. Portly
5. During dark hours
6. Pencil-mark remover
9. Ahead of time
11. Small juicy red fruit
13. Groove in track
15. Spiny succulents
16. Bodies of warships
18. Drenched
19. Nutmeg or clove
21. Object
22. Wound blemish

ACROSS

1. Amazon river fish
4. Dodge (duty)
7. Marched in procession
8. Shatter
9. Out of breath
12. Partaking of liquor
15. Technical sketches
17. Autographed
18. Plummets
21. Stirred up
22. Adult goslings
23. Sewing spikes

DOWN

1. Computer log-on code
2. Trophies
3. Counts up
4. Terminates
5. Stomach-settling powder
6. Apiece
10. Backless sofa
11. Chasm
13. Farewells
14. Retrieve (wreck)
16. Consented
18. Pull
19. Extent
20. Peruse quickly

ACROSS

1. Involve
5. Labyrinth
7. Debate
8. Broth
9. Bound along
10. Boring tool
11. Guardian spirits
13. Portent
14. Crude image for mockery
18. Cease
21. Dressed
22. Funeral vehicle
24. Snow shelter
25. White metal
26. Group of three
27. Adjusted pitch
28. Farm produce
29. Inscribes

DOWN

1. Put into bondage
2. Orchard fruit
3. Touches down
4. Set fire to
5. Becomes gentler
6. Toothed fasteners
12. Air travel fatigue, jet ...
15. Making motion picture
16. Charges with crime
17. Shouting
19. Before (poetic)
20. Minor quakes
22. Multitude
23. Loft

ACROSS

1. Comes undone
5. Grow weary
7. Hawaiian dance
8. Lingering
9. More affluent
12. Laying off
    (one's bets)
15. Kept balls in air
19. Flattens
21. Sinew
22. Burrowing creature
23. Lowers (light)
24. Walked arrogantly

DOWN

1. Uninjured
2. Covered with water
3. Carnivore, meat ...
4. Restful
5. Attempting
6. Decorative border
10. Rugged peak
11. Fragrant type of tea,
    ... Grey
12. Was compelled (to)
13. Denmark native
14. Tiny island
15. Put in prison
16. Moans & ...
17. Surplus
18. Go up
19. Subsequently
20. Disgorge

ACROSS

1. Yawns open
7. Flood
8. Enjoyed
10. German cabbage dish
12. Non-violent
14. Say it isn't so
16. Let out (shriek)
17. Calming drug
20. Self-appointed lawmen
23. Mixed (with poison)
24. Infuriating
25. Requested, ... for

DOWN

1. Horse pace
2. Optic organs
3. One time
4. Fork-tongued creature
5. Ambulance officer
6. Army camp lookout
9. Valleys
11. Feigns illness
13. Purpose
15. Humped animal
16. Resented
18. Escaped
19. Whips
21. Roman IX
22. Depletes

ACROSS

1. Massaged
4. Duck's call
7. Quandary
8. 52-week intervals
9. Summer or winter
12. By surprise
15. Rescued disaster victims
17. Concedes
18. Small pheasant relative
21. Golden hues
22. Taunt
23. High-spirited

DOWN

1. Remembrance
2. Between
3. Rounded roof
4. Dock
5. Matters
6. Vats
10. Unclothed models
11. Fizzy
13. Marine creature's home
14. Tropical disease
16. Margin of safety
18. Abandon
19. Ancient musical instrument
20. Hit with hand

ACROSS

1. Wisp
5. Bread rolls
7. Degrade
8. Radar screen spot
9. University faculty head
10. Dusk to dawn
11. Evoke
13. Freezes, ... over
14. Bicycle for two
18. Robberies
21. Ballad
22. Spanks
24. Cove
25. Wagon
26. Long narrative
27. Sports stadium
28. Highway fee
29. Hear, ... to

DOWN

1. Topic
2. Meat jelly
3. Intimidate
4. Most extensive
5. Sleep hour
6. Closest
12. Wrath
15. Tropical fruit
16. DVD, ... video disc
17. Postal workers
19. Cured pork
20. Maintain
22. Pilfer
23. Donkeys

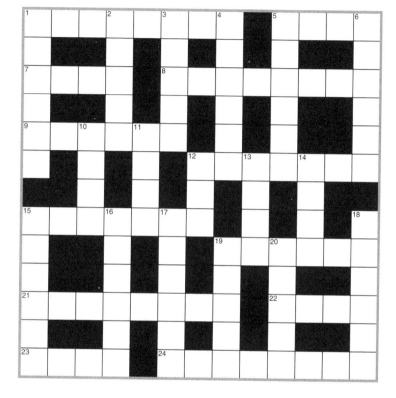

ACROSS

1. Keep apart
5. Door handle
7. Pagan statue
8. Exults
9. Nevertheless
12. Cigarette end receptacle
15. Made do
19. Cows' milk sacs
21. Supported
22. Towards the inside of
23. Advance a loan
24. Pirates' hoard

DOWN

1. Coil-shaped
2. Enable
3. Assortment
4. Takes pleasure in
5. Titled man
6. Industriously
10. Knitting thread
11. Excited
12. Help
13. Contained
14. Ascend
15. Crumb
16. Fearful
17. Recruit
18. Onto terra firma
19. Uncalled-for
20. Uses towel

ACROSS

1. Moist (fruit)
7. Foot soldiers
8. Cape
10. Pastry shop
12. Youth
14. Wild pack canine
16. Maladies
17. Very cruel
20. Paid profession
23. Totally demolished (of building)
24. Frozen floating masses
25. Wrote by machine

DOWN

1. Book cover
2. Applaud
3. Opposed to
4. Swamp
5. Ship's right
6. Me
9. Inuit canoe
11. Left untended
13. Historical age
15. Hate
16. Wryly amusing
18. Frank
19. Heavy fencing swords
21. Yanks
22. Admiral's command

ACROSS

1. Kept score
4. Ear test,
   ... examination
7. Unbeliever
8. Lodge firmly
9. Egg flan
12. Slimness
15. Novices
17. Deep shock
18. Small streak
21. Took tiny bites from
22. Paid out (cash)
23. More immature

DOWN

1. Calm
2. Madness
3. Failures
4. Wheel spindle
5. Rover
6. Electric cord
10. Imps
11. Girth
13. Unlawful occupier
14. African antelope
16. Cave
18. Current crazes
19. Entangle
20. Competently

ACROSS

1. Extracts (information)
5. Forgery
7. Large sea mammal
8. Actor, ... Myers
9. Horse farm
10. Bake in oven
11. Exalted
13. Annoys
14. Libel
18. Took notice of
21. Ewe's young
22. Crowd together
24. Edition
25. Daze
26. Pimple rash
27. Request from menu
28. Exercise clubs
29. Picks up (feelings)

DOWN

1. Placed bets
2. Vary (legislation)
3. Samurai weapon
4. Nasal discharge
5. Celebratory
6. Finger joint
12. Deciduous tree
15. Precisely
16. Pink-eyed rabbits
17. Part of a serial
19. Flightless bird
20. Weight watchers
22. Receives news
23. Attracted (to)

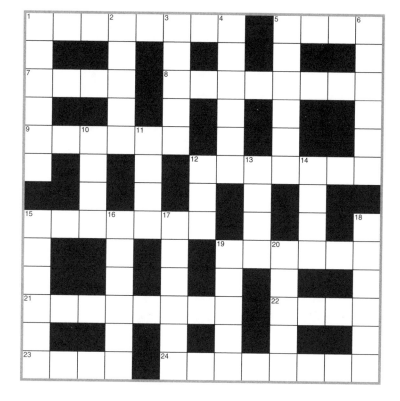

ACROSS

1. Miscues
5. Affirm
7. New Zealand bird
8. Warmed up again
9. Tidily
12. Caring for
15. Building caretaker
19. Human being
21. Whipped
22. Run in neutral
23. Cheese skin
24. Increased in depth

DOWN

1. Manufacturing
2. Dickens' novel, Oliver ...
3. Wed
4. Conspire
5. Astonished
6. Walking through water
10. Unknown author
11. Rob during riot
12. Sticky coal by-product
13. Facial feature
14. Taverns
15. Medieval king's fool
16. Decorated with set-in design
17. Exotic flower
18. Certainly
19. Army clergyman
20. Lift up

CROSSWORD 98

ACROSS

1. Sound
7. Dig
8. Throat part, ... cords
10. Sweating
12. Originated
14. Method
16. Render (tune)
17. Widens
20. Range of known words
23. Pulls sharply
24. Regretfully
25. From Japan or China

DOWN

1. Beginner
2. Trade
3. Discontinues
4. Proportion
5. Deep male voices
6. West Indian music style
9. Currency, ... tender
11. Shells on ship's hull
13. Slip up
15. Hirsute
16. Extreme
18. Add spices to
19. Regarding
21. Jaunty rhythm
22. Starchy tubers

ACROSS

1. Scottish city
4. Ethnic groups
7. Held securely
8. Get to feet
9. Fooled
12. Re-emerge
15. Average
17. Radio interference
18. Blunder
21. Nauseous on boat
22. Soft & pulpy
23. Awaiting

DOWN

1. Pickled cucumbers
2. Non-liquids
3. Rub lightly
4. Purges
5. Wine vessels
6. Exchanged for cash
10. Horror
11. Hospital rooms
13. Salvaging
14. Lotteries
16. Speared
18. Dispirited
19. Catch sight of
20. Stinging insect

ACROSS

1. Remove pollutants from
5. Calf flesh
7. Corpulent
8. Grecian pots
9. Organs of hearing
10. Happen anew
11. Fills with joy
13. Wading bird
14. Shins
18. Muzzled
21. Metal in brass
22. Water boiler
24. Army fabric
25. Steel strand
26. Sponges
27. Regional
28. Grows old
29. Edged (towards)

DOWN

1. Destitute people
2. Map within map
3. Belonging to you
4. Using sword
5. Swerving
6. Aircraft company
12. Large antlered animal
15. Raining ice
16. US coins
17. Surface wound
19. Yes vote
20. Donned clothing
22. Exterminates
23. Easily frightened

ACROSS

1. Electric piano
5. Insincere (of speech)
7. Italy's Leaning Tower of ...
8. Submerged
9. Praises highly
12. Dairy cattle
15. Shifting
19. The ... States of America
21. Rapping
22. Chimney duct
23. Agitate, ... up
24. Sanctify

DOWN

1. Smoked herring
2. Crowd fight
3. Solo vocal pieces
4. Lower in rank
5. China's Three ... Dam
6. Human frames
10. Waterless
11. Prepare for take-off
12. Dance
13. Destroy
14. Orient
15. Reduces vehicle speed
16. Food retailer
17. Indigenous
18. Hold fast (to)
19. Impulses
20. Deduce

ACROSS

1. Part of flower
7. Prominence
8. Nile or Amazon
10. Ambling
12. Floor hatch
14. Trail
16. Trimmed (of lawn)
17. Butcher's knives
20. Lies
23. Suffered pain
24. Precious stones
25. Mistreat

DOWN

1. Pedant
2. Inspires with reverence
3. Muscat is there
4. Beginning (of illness)
5. Signified
6. Distance
9. Surprise attacks
11. Crossed street carelessly
13. Hooting bird
15. Black & white Chinese animal
16. Offended
18. Oily mud
19. Spend time idly
21. Betting chances
22. Wound encrustation

ACROSS

1. Transports
4. Receive ball
7. Blowing from ocean
8. Interlace on loom
9. Iguana or monitor
12. Unclogs
15. Tie or cravat
17. Very sad
18. Conditions
21. Speaking publicly
22. Undeveloped insect
23. Lit

DOWN

1. Protest
2. Property wrecker
3. Cease
4. Ship's staff
5. Nicotine plant
6. Cavity
10. Cons
11. Abandon (mission)
13. Manacled
14. Harder to find
16. Sieved (for gold)
18. Utensil
19. Tofu bean
20. Converse

ACROSS

1. Occupy by force
5. Strike with foot
7. Vocal sound
8. Is obliged to
9. Head support
10. Show as similar
11. Barters
13. Small whirlpool
14. Cleans by rubbing hard
18. Neglect
21. Border on
22. Wounded by blade
24. Jewish scholar
25. Indian garment
26. At a distance
27. Large pitchers
28. Prolonged quarrel
29. Eagerly

DOWN

1. Prisoners
2. Performed
3. Wicked wrongs
4. Rang softly
5. Dogs' shelters
6. Noisy insects
12. Depressed, at a low ...
15. Leaf vegetable
16. Untested
17. Mopped
19. Charged particle
20. Mature in years
22. Newsstand
23. Reflection

ACROSS

1. Lazy
5. Burglar's loot
7. Unconscious state
8. Leaves behind
9. Go by (of time)
12. Authors
15. Within building
19. Of the stars
21. Step up
22. Zodiac crustacean
23. Uncontrolled slide
24. Pungent roots

DOWN

1. Dismissed
2. Trudge
3. Distress rocket
4. Expedition head
5. Cruel person
6. Long deep wounds
10. Very dry
11. Grain storage facility
12. You were, I ...
13. Wading bird
14. Always
15. Urges to action
16. Forward
17. Mend
18. Spheres
19. In front
20. Nails

ACROSS

1. Leg joints
7. Clumsy
8. Book publicity hype
10. Most disobedient
12. Poorly (dressed)
14. Beers
16. Unattractive
17. Restricted (quantity)
20. Inoculated
23. Nude
24. Vision of perfection
25. Incidental comment

DOWN

1. Turkish snacks, doner ...
2. Make (profit)
3. Warm & protected
4. Departure points
5. Disclosing
6. Declares
9. Sharp hooks
11. Mistaken beliefs
13. Poetic term for field
15. Flax cloth
16. Unmask
18. Absent-minded scribble
19. Aquatic respiratory organs
21. Moreover
22. 24-hour periods

ACROSS

1. Wild
4. Desert wanderer
7. Disbelieving
8. Rent
9. PNG, Papua New ...
12. Identify disease
15. Scriptwriter's words
17. Having raised lines
18. Burn with steam
21. Greed
22. Moisten while roasting
23. Extreme

DOWN

1. Not endorsed
2. Unspecified person
3. Wharf
4. Invalid
5. Spanish bullfighter
6. Springboard descent
10. Wise saying
11. Bread maker
13. Plague
14. Processions
16. Statutes
18. Mortuary stone
19. Stun
20. Set down

ACROSS

1. Peril
5. Dreary
7. Lessen in severity
8. Mongolian desert
9. Celestial body
10. Depart
11. Eagerly
13. Cycled
14. Simpler
18. Passing crazes
21. Dappled
22. Castrated (horse)
24. Of the city
25. Tablet
26. Vanished
27. Reflect light
28. Leer
29. Shines (at)

DOWN

1. Disgrace
2. Reduce to powder
3. Public meeting
4. Nightclub show
5. Be worthy of
6. Granted
12. Untrue statement
15. Emerging
16. Revel (in)
17. Growls (of thunder)
19. Fish eggs
20. Sorrow
22. Ugly elf
23. Rational thinking

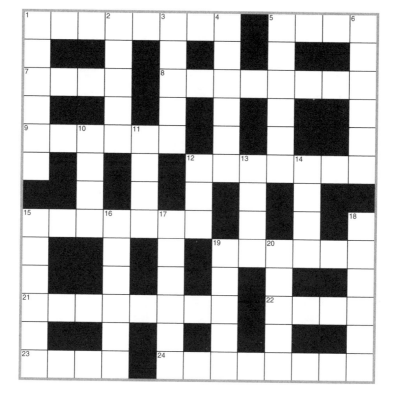

ACROSS

1. Legally
5. Parsley or sage
7. Paint roughly
8. Inoperative
9. Glowing coals
12. Goes up
15. Special anniversary
19. Disorderly crowd
21. Caper
22. Brief letter
23. Wearing footwear
24. Lose

DOWN

1. Becomes embedded
2. Mythical story
3. Oafs
4. Teenage people
5. Husky-voiced
6. Mixes together
10. Explosive device
11. Fishing spool
12. I am, you ...
13. Havana is there
14. Without sensation
15. Jesters
16. Internal
17. Preserve (corpse)
18. Fall away
19. Swamp grasses
20. Trite

ACROSS

1. Moves (of river)
7. Grainy polishing substance
8. Adult girl
10. Reusable
12. Circus swings
14. Lose (fur)
16. Evil habit
17. Break in journey
20. Embellish
23. Performed slalom
24. Issues
25. Muslim faith

DOWN

1. Smallest number
2. Be dressed in
3. Follow directives
4. Metal spikes
5. Be naughty
6. Decapitate
9. More recent
11. Artificial sweetener
13. Devour
15. Leopard's markings
16. TV watcher
18. Haphazard
19. A second time
21. Circle
22. Makes last, ... out

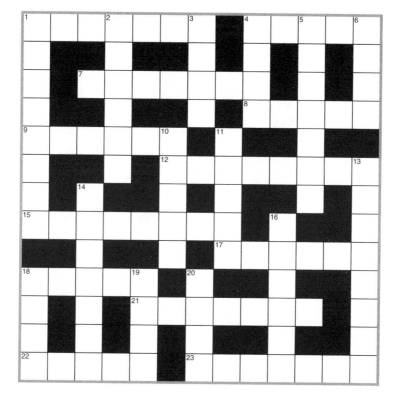

ACROSS

1. Wall junctions
4. Criminal deception
7. Send ahead
8. Delete
9. Straighten
12. Parasol
15. Commanded authoritatively
17. Travel cheat, fare ...
18. Snow crystal
21. Subtle differences
22. Short prose piece
23. Searched for food

DOWN

1. Taken prisoner
2. Lasso loops
3. Move to & fro
4. Become dim
5. Accosts
6. Copenhagen native
10. Fluid channels
11. Residence
13. Typically amounted to
14. Writes untidily
16. Photographer's tool
18. Destiny
19. Begrudge
20. Young cow

ACROSS

1. Strikingly unusual
5. Length unit
7. Paper batches
8. Incendiary device
9. Australian gemstone
10. Scale (mountain)
11. Comment
13. Woe!
14. Ferocious
18. Corridors
21. Puncture with knife
22. Tinting
24. Peruvian pack animal
25. Suva is there
26. Carnival
27. Nook
28. Cloth emblem
29. Sidesteps

DOWN

1. Goes aboard ship
2. Leg bone
3. Fissure
4. SW African republic
5. Weather map lines
6. Absurd pretence
12. Material scrap
15. Termite mound
16. Sauntering
17. Beautify
19. Creeping vine
20. Gestures
22. Challenged (to)
23. Bordered

ACROSS

1. Purgative
5. Uncouth
7. Region
8. Flying around (planet)
9. Survives
12. Dictators
15. Technical sketch
19. Mariners
21. Finding
22. Top of house
23. Split apart
24. Dimness

DOWN

1. Less industrious
2. Sectors
3. Smoothes out (shirt creases)
4. Personify
5. Part of eye
6. Predatory birds
10. Notion
11. Layer
12. Male cat
13. Asian staple crop
14. Average
15. Unit of money
16. Actor, ... Depardieu
17. Affiliated
18. Inhales
19. Sweetener
20. Cooking smock

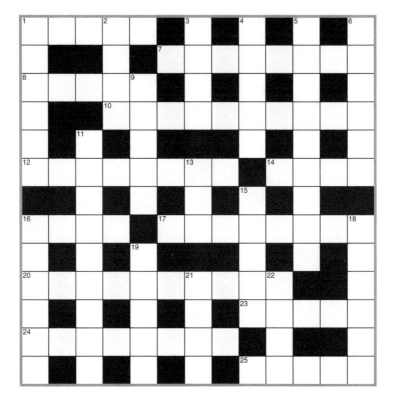

ACROSS

1. Religious cults
7. Put to death
8. Length units
10. Cost-effective
12. Fishing with net
14. Chooses
16. Camel's mound
17. Involved
20. Unlawful act
23. Brown pigment
24. Young children
25. Fashionable fad

DOWN

1. Most cunning
2. Ocean's flow
3. Bullocks
4. Rascal
5. Stored supply
6. Confuses
9. Rough-skinned
11. Orange-rind spread
13. Convent dweller
15. Enticements
16. Raises
18. Disfigure
19. Spry
21. Noble title
22. Annual period

ACROSS

1. Over-zealous supporter
4. Coated in fine dirt
7. Cast out
8. Musical, The Phantom Of The ...
9. Stoat-like animal
12. Not scared
15. Sword sheath
17. Deeply desires
18. Attacks savagely
21. Of the beach
22. Tribal post, ... pole
23. Timber plantations

DOWN

1. Motorways
2. Modify
3. Quote
4. Extinct bird
5. Quite a few
6. Hindu meditation
10. Of the moon
11. Readily available
13. Cuts for examination
14. Most indistinct
16. Royal residence
18. Thin fog
19. Floating filth
20. Part of leg

ACROSS

1. Speak unclearly
5. Stare open-mouthed
7. Ethical
8. Burn surface of
9. Computer operator
10. Grilled bread
11. Noisily
13. Compared to
14. Security
18. Risk
21. Heap
22. Resounded
24. Italian country house
25. Passport endorsement
26. Wind-borne toy
27. In that place
28. Storybook monster
29. Spooned (out)

DOWN

1. Biceps and triceps
2. Uninterested
3. Remove contents of
4. Oiled
5. Greedy eater
6. Book intro
12. Load
15. Complying with, ... by
16. Hoist
17. Succumbed
19. Curve
20. Ginger-haired person
22. Painter's tripod
23. Took long walk

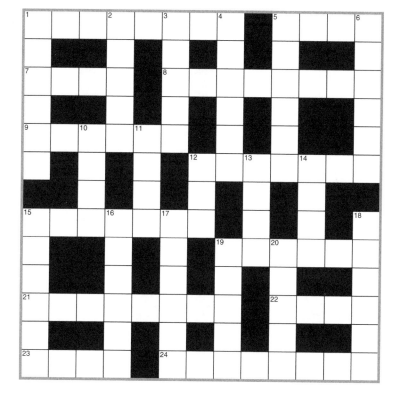

ACROSS

1. Moved forward
5. Stared at
7. Amongst
8. Studied closely
9. Horrible
12. Side of chair
15. Shirt necks
19. Marine animal, sea ...
21. Adjoining
22. Otherwise, or ...
23. Pulls on rope
24. Screamed wildly

DOWN

1. Lethargy
2. Snake, puff ...
3. Set of beliefs
4. Fabric retailer
5. Magic potion
6. Subtract
10. Music style, rock and ...
11. Minuscule amount
12. Donkey
13. Tie up (boat)
14. Inscribe
15. Pigment, ... blue
16. Mauve shrubs
17. Updates
18. Mean
19. Absolute
20. Thin pancake

ACROSS

1. Common cereal
7. Computer facts program
8. Ran in neutral
10. Aquatic-grown garnish
12. Twelve-month old horse
14. Brass instrument
16. Frog-like animal
17. Spread out
20. Erased
23. Sacred vows
24. Confection on a stick
25. Customary

DOWN

1. Neigh
2. Afresh
3. Infrequent
4. Food topping
5. Cautiously
6. Japanese hostess
9. Every 24 hours
11. Pleasant tasting
13. Short sleep
15. Brief movie guest spot
16. Threefold
18. Main fin
19. Go to
21. In a frenzied state
22. Gentle strokes

ACROSS

1. Made duck sound
4. Body organ
7. Place in position
8. Gain knowledge
9. Mexican flower
12. Visionaries
15. Sailing
17. Approached
18. Whiskers
21. Clergyman's house
22. Substitute doctor
23. Passed into law

DOWN

1. Predicament
2. Wax taper
3. Small measure of spirits
4. Quiet interim
5. Travels by sea
6. Water from sky
10. Confess
11. Hold royal office
13. Followed secretly
14. Marine
16. Material
18. Male elephant
19. Beat rhythmically
20. Unit of land

ACROSS

1. Scared person
5. Seep
7. Extremist
8. Verbal exam
9. True
10. Plucked string sound
11. Company heads
13. Lambs' mothers
14. Leisurely wander
18. Municipal chiefs
21. Caution
22. Peacock's mate
24. Fireplace grille
25. Chiming instrument
26. Coin aperture
27. Enthusiastic
28. Inquires
29. Loiter

DOWN

1. Levering tool
2. Wheel spindles
3. Songs for two
4. Level
5. Extensively
6. Nonprofessional
12. Snake-like fish
15. Emerges from sleep
16. Wrist bands
17. Trade boycott
19. Cancel (TV show)
20. US politician
22. Oyster gem
23. Malicious fire-setting

CROSSWORD 121

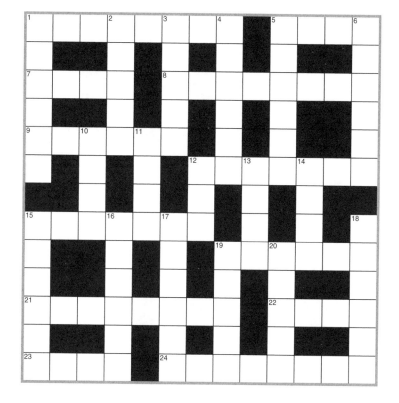

ACROSS
1. Fugitives
5. Was in debt to
7. Norway's capital
8. Demanded
9. Hypnotic state
12. Straddling
15. Width
19. Sides
21. Tried to equal
22. Seep out
23. Expressed verbally
24. Race officials

DOWN
1. Perches
2. Oak kernel
3. Existing
4. Dress ribbons
5. Pearl source
6. Infer
10. Assistant
11. Lump of earth
12. Volcanic debris
13. Hard work
14. Religious painting
15. Elbow-bending muscle
16. Used fishing rod
17. Samples (food)
18. Evaluate
19. Soft confection
20. Scent

ACROSS

1. Sense receptor
7. Starter mechanism
8. Screened on TV
10. Police checkpoints
12. Furthest back
14. Revolve
16. Elliptic
17. Religious doubter
20. Mistake
23. Our planet
24. Ragged
25. Moves lightly (over)

DOWN

1. More orderly
2. Steer off course
3. Grew old
4. Radio knobs
5. Wrongly tallies
6. At the same time, in ...
9. Destines to grim fate
11. Waterfalls
13. Droop
15. Strength
16. Narcotic drug
18. Hidden supplies
19. Spiral nail
21. Regrets
22. Pull sharply

ACROSS

1. Long trips
4. Topic
7. Immature frog
8. Hang in folds
9. Effortless (of speech)
12. Not prejudiced
15. Kennel
17. Barked in pain
18. Surfing area
21. Formal address
22. Bowl
23. Silt-removing boat

DOWN

1. Maligned
2. Astounds
3. Halt
4. Drew
5. Diplomatic mission
6. Rim
10. Ballet skirts
11. London's Westminster ...
13. More poisonous
14. American lizards
16. Type of nut
18. Shapeless mass
19. Rhinoceros spike
20. Printed greeting

ACROSS

1. Cancel out
5. Grisly
7. Blast
8. Enthusiasm
9. Half-open
10. More considerate
11. Licentiously
13. Lager
14. Common sense
18. Gender discrimination
21. Bland
22. Lose strength
24. Mistake
25. Semi-precious stone
26. Lengthy story
27. Fencing swords
28. Dedicatory poems
29. Sums

DOWN

1. Hose spouts
2. Troubled
3. Hard black wood
4. Sees
5. Transmission casing
6. Magazine subscribers
12. Allow to
15. Straightened
16. Alphabetical listings
17. Desired greatly
19. December 31,
   New Year's ...
20. Wildly dangerous
   people
22. Arm joint
23. Resource

ACROSS

1. Military occupiers
5. Bird of prey
7. Salad fish
8. Undefeated
9. Rat or mouse
12. Embarrassed
15. Degraded
19. Long-snouted monkey
21. Piercing with spear
22. Burial chamber
23. Be inclined
24. Edge-of-your-seat anticipation

DOWN

1. Trainee doctor
2. Conscious (of)
3. Explode
4. City district
5. Hauls strenuously
6. Twisted
10. Smear
11. Information
12. Include
13. Distinctive air
14. Lead character
15. Portray
16. Embark, get ...
17. Catches sight of
18. Lacking the ability
19. Fake
20. Swim

ACROSS

1. Reef organism
7. Jumble (letters)
8. Tennis 40/40
10. Manual art
12. Impasse
14. Discover
16. Parcel up
17. Remnants
20. Brotherhood
23. Embroidered
24. Arouse again
25. Inundate

DOWN

1. Obtained by begging
2. Curved entrance
3. Battery fluid
4. Set of products
5. Flesh wounds
6. Joked
9. Noblemen
11. Twin-hulled vessel
13. Deep-sea fish
15. Overlooks
16. Thin biscuits
18. Screened from sun
19. Postponement
21. Require
22. Shout

ACROSS

1. Quits (premises)
4. Tongue of fire
7. Inherited (characteristic)
8. Drying cloth
9. Village's population
12. Unreasonably
15. Mexican corn meal snack
17. Consortium
18. Quay
21. Move back
22. Cut gem face
23. Generate

DOWN

1. Highly contagious
2. Rinks
3. Movie filming areas
4. Proven truth
5. Quiz solutions
6. Diabolical
10. Sullenly rude
11. Edible innards
13. America's highest waterfall, ... Falls
14. Sporadic
16. Peril
18. Wild pack canine
19. Worry
20. Pace

ACROSS

1. Peers
5. Twofold
7. Tremor
8. Martial art
9. Harvest
10. Elsewhere excuse
11. Sighed sleepily
13. Unable to hear
14. Little plum
18. Revise
21. Defrost
22. Shaky movement
24. Very small
25. Half
26. Consider
27. Stares suggestively
28. Marine mammal
29. Tribal seniors

DOWN

1. Relished
2. Beautify
3. Police group
4. Arctic deer
5. Scorned
6. Insistent
12. Self-regard
15. Sportsperson
16. Timber-cutting factory
17. Nicks
19. Full-time golfer
20. Lace holes
22. Less well
23. Revealed

ACROSS

1. Dries up & shrinks
5. Voice modulation
7. Rub lightly
8. Seizing
9. Chalice
12. Supernatural
15. Corrupt
19. Prepared (manuscript)
21. Stud farmers
22. Rock hollow
23. Antlered beast
24. Steepest

DOWN

1. Effluent
2. Perfect
3. Octagon number
4. Stiffen (fabric)
5. Furniture pieces
6. Anxiously
10. Coffin stand
11. Simplicity
12. Obtain
13. Was indebted to
14. Horse's gait
15. Delved
16. Surface layer
17. Cyclists
18. Most peculiar
19. Follow on
20. Attract (penalty)

ACROSS

1. Roman robes
7. Carpet insulation
8. Unfastened
10. Sixtieth, ..., eightieth
12. Mockery
14. Open tart
16. Charged atoms
17. Calmed
20. Intolerably
23. Languished
24. Joined army
25. Sing

DOWN

1. Educated
2. Line of rotation
3. Poker stake
4. Fourth Greek letter
5. Suffering
   insomnia
6. Constrictor snake
9. Put off
11. Man-eating people
13. Gratuity
15. Domain
16. Accustomed
18. Benumb
19. Common flower
21. One-spot cards
22. Belonging to you

ACROSS

1. Sandy coasts
4. Lumps
7. Bargained
8. Eject from house
9. Elaborately decorated
12. Local languages
15. Ricochets
17. Restored to health
18. Food spread
21. Dynamic (personality)
22. Surfaced
23. Wearing away

DOWN

1. Excavated
2. Man's neck scarf
3. Soft fabric
4. Naked
5. Artist, Leonardo ... (2,5)
6. Basic kitchen condiment
10. Authoritative command
11. Severe
13. Pacifying
14. Counterbalances
16. Arrived (of day)
18. Look closely
19. Smooth
20. Woodwind instrument

ACROSS

1. Voluntary (work)
5. Cook in water
7. Song of the Swiss
8. Crossword pattern
9. Skin irritation
10. Pixie-like
11. Performers
13. Touch lips
14. Consuming
18. Withstand
21. Blemish
22. Secondary route
24. Take place
25. Brought into life
26. Long steady look
27. Alter (text)
28. Sell
29. Bestows

DOWN

1. Improve in quality
2. Of sound system
3. Dutch sea walls
4. Imposing building
5. Shut & opened eyes
6. Front tooth
12. Sped on foot
15. Give the go-ahead to
16. Chanted
17. Ice river
19. Opposite of aye
20. Infinite
22. Wedding partner
23. Stiff

ACROSS

1. Native American hatchet
5. Metal depression
7. Luxurious
8. Tolerable
9. Beginning
12. Flightless bird
15. Calmed
19. More spiteful
21. Commercial venture
22. Part of eye
23. Volcanic matter
24. Arisen

DOWN

1. Candle wax
2. Hurts
3. Monastery head
4. Australian marsupials
5. Desk compartment
6. Battlefield ditch
10. Frog-like animal
11. Way out
12. Ancient
13. Bring under control
14. Golf club
15. Icon
16. Heart pain
17. Allergy rash
18. Completely removed
19. Orchestra sound
20. UFO creature

ACROSS

1. South American parrot
7. Deceit
8. Defeats
10. Segregation
12. Comes forth
14. Consequently
16. Dock
17. Unattractiveness
20. Inertia
23. Detested
24. Medicinal tablets
25. Confuse

DOWN

1. Movable
2. Tiny insects
3. Opera solo
4. Atlantic or Pacific
5. Pleased
6. Carrion-eating animals
9. Four-door car
11. Celebrity photographers
13. What a chicken lays
15. ESP, ... sense
16. Porcupine spines
18. Horseman's seat
19. Wounded by bee
21. Competes
22. Paved enclosure

ACROSS

1. Beirut is there
4. Gestures farewell
7. Puff up
8. Stage play
9. Refunded
12. Took possession of
15. Magnificence
17. Egg-yolk shade
18. Lift shoulders
21. Acted in response
22. Precise
23. Freedom

DOWN

1. Using crowbar
2. Once-a-year
3. Tidy
4. Invasive plant
5. Nutrient (pill)
6. Fiji's capital
10. Medicine units
11. Fearsome
13. Sleepily
14. Hot spice
16. Claim
18. Underside of shoe
19. Fine gravel
20. Frozen rain

CROSSWORD 136

ACROSS

1. Widen (pupils)
5. Pounce
7. Royal headwear
8. Prisoner's room
9. Bell-shaped fruit
10. Unsuitable
11. Sensual
13. Furnace
14. Jockey's seat
18. Compositions
21. Fraud
22. Myth
24. Fill with joy
25. Male pig
26. Political power group
27. Objects of worship
28. Body fluid lump
29. Rained heavily

DOWN

1. Duke & ...
2. Apportion
3. Moral principle
4. Dashing style
5. Portable computers
6. Training school
12. Ailing
15. Small Mediterranean fish
16. Misconduct mark
17. Mid-Earth line
19. That woman
20. Enticed
22. Fewest
23. Actor, Clark ...

ACROSS

1. Agreeable
5. Powerful need
7. Single thing
8. Sovereign states
9. Walk wearily
12. Shine
15. Baked product
19. Method
21. Introductory statement
22. Flour factory
23. US 10-cent coin
24. Dependably

DOWN

1. Indicates with finger
2. Directed
3. Foot joint
4. Glittery festive decoration
5. Unravels
6. Naval flag
10. Operates
11. Indian teacher
12. Remove innards from
13. Very dark
14. Sell brazenly
15. Collided with, ... into
16. Invent
17. Map pressure line
18. Give job to
19. Hard iron alloy
20. Brazilian dance

ACROSS

1. Company emblems
7. Game fowl
8. Make minor alteration to
10. Designed garden
12. Carefully tended
14. Japanese-style wrestling
16. Pen points
17. Grumbling
20. Communication devices
23. Swindled
24. Ludicrousness
25. Hank of wool

DOWN

1. Soothing cream
2. Australian gemstone
3. Dull heavy sound
4. Sporting contest
5. Waterproof cover
6. Dancer's workplace
9. Beyond repair
11. Drooling
13. Organ of hearing
15. Coupled
16. Taking notice of
18. Dog, ... retriever
19. Observed covertly
21. Displace
22. Be sullen

ACROSS

1. Petty criticism
4. Coated
   (with mud)
7. Impudent newcomer
8. Receded
9. Cushioned
12. Searched (through)
15. Degree-holder
17. Logic
18. More painful
21. Radioactive element
22. Biting gnat
23. Scribbles

DOWN

1. Retorting
2. Two-footed animals
3. Historical periods
4. Appealing
5. Soldiers' sacks
6. Act
10. Imagine
11. Fossil resin
13. Saturates
14. Toted
16. Treasured
18. Hoax
19. Deceptive scheme
20. Lady's personal
    attendant

ACROSS

1. Announce
5. Ring (of bells)
7. Elude
8. Small bed
9. Not here
10. Personal glory
11. Deduces
13. Uncle & ...
14. Vehicle depot
18. Distinct thing
21. Snakes
22. Abdominal rupture
24. Very angry
25. Metal rods
26. Cheeky smile
27. Of sea phases
28. Tiny insects
29. Appeared to be

DOWN

1. Pawning
2. Leisurely walk
3. Ship's floors
4. Wound dressing
5. Medieval farm worker
6. Opposed to
12. Mat
15. Refrain (from)
16. Helps
17. Chores
19. Named before marriage
20. Desired greatly
22. Cures
23. Scoundrel

ACROSS

1. Amiable
5. Sightseeing bus journey
7. Strike (toe)
8. Put in
9. Groaned
12. Japanese hostesses
15. Bestowed gift
19. Banquets
21. Postponement
22. Leonardo da Vinci's ... Lisa
23. Heavy fencing sword
24. Cooked too long

DOWN

1. Take for granted
2. Ship's room
3. Erect
4. Guarantee
5. Pulsates
6. Broadcast receivers
10. Alike
11. Utter (cry)
12. Gallivant (about)
13. Tiny landmass
14. Pigs
15. Dally
16. For each one
17. Newly conceived baby
18. Abscond
19. Misleading
20. Furnished with guns

ACROSS

1. Parent's brother
7. Location
8. Earnest requests
10. Styling
12. Massaging
14. Arm bone
16. Petty quarrel
17. Purified
20. Magical
23. Spooky
24. Increasing threefold
25. Greatly love

DOWN

1. Unload (suitcase)
2. Piece of foliage
3. Butterfly relative
4. Prejudiced person
5. Endless
6. Puzzle
9. Covered with beach grit
11. Actor
13. No score
15. Indistinct
16. Red salad fruit
18. Strike out
19. Magnitude
21. Limp
22. Ranked tennis player

ACROSS

1. Drifted on water
4. Small leafy twig
7. Clap
8. Conservative
9. Tropical lizard
12. Conveys
15. Unpretentious
17. Playing-card Jacks
18. 365-day terms
21. Infectious viral disease
22. Fork spike
23. Abducts for ransom

DOWN

1. Half-century birthday celebration
2. Show up
3. Transaction
4. Soap foam
5. Passed along
6. Castrate (horse)
10. Talented
11. Move sinuously
13. Cutting implement
14. Official boycott
16. Inn
18. Dog's shrill howl
19. Pollution haze
20. Barrel

ACROSS

1. Act indecisively
5. Moved in water
7. Execute (law)
8. Not one
9. Above
10. Slot-machine coin
11. Pickles
13. Towards interior of
14. Jerked
18. Tears into strips
21. Mail (off)
22. Anglican parish priest
24. Humiliation
25. Music, ... and roll
26. Mutilate
27. Thoughts
28. Eager
29. Surfeit

DOWN

1. Line of Chinese emperors
2. Listens to
3. Hires out
4. Supporters
5. Rockier
6. Gave warning to
12. Supplement, ... out
15. Astounding
16. Soft smooth leather
17. Ten-year periods
19. Shade
20. Is frugal
22. Recycle
23. Funny magazine

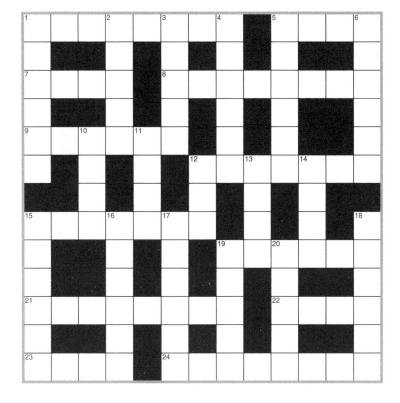

ACROSS

1. Amorous
5. Lengthy story
7. Social bigot
8. Looking quickly
9. Free from obligation
12. Mentally absorb
15. Amount of film
19. Chirps
21. Unduly demonstrative
22. Provoke
23. Variety
24. Gathers (crops)

DOWN

1. More impulsive
2. Philatelist's scrapbook
3. Close-fitting
4. Wax pencil
5. Less healthy
6. Debates
10. Reflected sound
11. US wild cat
12. Female sheep
13. Bite persistently
14. At one time
15. Armadas
16. Lunge
17. Gaudy
18. Incidental comments
19. Belonging to them
20. Bird of prey

ACROSS

1. Explosive in nature
5. Uterus
7. Hindu meditation
8. Fluid seepages
9. Provoked
12. Medical complaint
15. Type of herb
19. Torments
21. Leaving empty
22. Grape drink
23. Coastal waters
24. Torn to strips

DOWN

1. Journey
2. Medal
3. Ran in neutral
4. Tooth coating
5. Fighting instrument
6. Fundamentals
10. State positively
11. Sinister
12. Very cold
13. Volcanic matter
14. Smooth
15. Irritates
16. Four-door cars
17. Provides with gear
18. Take to the air
19. Striped jungle animal
20. Unmarried

ACROSS

1. Extract (information)
7. Entranceway chime
8. Horror
10. One at a time
12. Straw-roofed
14. Between
16. Avenue
17. Scraps
20. Supplying with water
23. South American dance
24. Coffee style
25. Bee wound

DOWN

1. Nifty device
2. Woe!
3. Tofu bean
4. Inner-city
5. Decide
6. Scourged with whip
9. Tennis 40/40
11. Block of text
13. Conclude
15. Portents
16. Heightens
18. Leapt
19. Concur
21. Trial
22. Mode of walk

ACROSS

1. US five cent coins
4. Top of milk
7. Discussed
8. Fill with joy
9. Delivered, ... over
12. Show up again
15. Orderliness
17. Gave speech
18. Facial hair
21. Point of view
22. Married woman's title
23. Subsided

DOWN

1. Tropic of Cancer hemisphere
2. Works (dough)
3. Movie filming areas
4. Surrender (land)
5. Gets free
6. Kindred spirit, soul ...
10. Less moist
11. Rodeo rope
13. Blushed
14. Marched in procession
16. Conditional release
18. Deep resonant sound
19. Grim fate
20. Untruthful person

ACROSS

1. Costs
5. Strike with foot
7. Manner of treating
8. Brass metal
9. Defrost
10. Snort
11. Find
13. Tilt
14. Ferocious
18. Pinker (cheeks)
21. Unconscious state
22. Loutish
24. Small crown
25. Arrived
26. Ballet skirt
27. Cousin's father
28. Fly high
29. Calm

DOWN

1. Crossword quizzes
2. Chocolate powder
3. Push forward
4. More fully developed
5. Containers for boiling
6. Absurd pretence
12. Yank
15. Green fruit
16. Nonprofessional
17. Increase in attractiveness
19. Reproductive cells
20. Reaccommodate
22. Desert waterholes
23. Destined

ACROSS

1. Football code
7. Bird's width
8. Pile
10. Last golf hole
12. Resting on knees
14. Auctioned off
16. Skin irritation
17. Game plan
20. Educational institution
23. Bisect
24. Poorest
25. Tiny landmasses

DOWN

1. Make mention
2. Skeleton component
3. Audible breath
4. Stares lasciviously at
5. Backed financially
6. Crept (towards)
9. Faintly
11. Senses
13. Tennis barrier
15. Trust
16. Tropical lizard
18. Sings like Swiss mountaineer
19. Danger
21. Ornamental ribbon
22. Starchy tubers

1

```
J O U S T I N G     S H O P
U     C   C     L   P     E
G A L A   I M A G I N E D
G     L   E     R       D
L E A D E R   C   I     L
E   T   V   R E S T A T E
    O   I   I     A R   E
T U M B L E D     R   T
W     A   N   M I S S E D
I     N   C   A   I     I
T O M A H A W K   G R A B
C     N   M   E     H   L
H U L A   P A R A S I T E
```

2

```
Z O O M S     U   F   P     L
I       E   E S C A P A D E
P L E A D   E   N   R     A
P     L   L E P R E C H A U N
E   R   L       Y   C     E
R E A W A K E N   S H E D
  I     Y     W   R   U
N U N S   D E V I A T E S
U   W   K       V   E   E
G U A R A N T E E D     E
G   T   Y   A   R A T E D
E L E G A N C E     R   E
T   R   K   T   S K I E D
```

3

```
C O M B I N G     C R A Z E
A     E   R   O   B     A
N   S T E W A R D   R   S
O     R   M   E L A T E
E X P A N D   P     D
I     Y   R E A P P E A R
N   D   E   Y     D   E
G R A D U A T E   C   D
    Z   D   E L A P S E
M A Z E S   M     M   E
I   L   W E A R I E D   M
T   E   A   I   R     E
T O D A Y   L O C A T E D
```

4

```
H E R A L D     P   D R A W
O     D   I R A T E     D
W H O M   A   P   A L A S
E     I   L U R I D   M
V I S T A S   I   E R A S
E     I   K       N   N
R A B B L E   A S S E T S
V   U   N   I       A
S E C T   A   B R A Y E D
R   C O B R A   L     N
O A T H   L   N   P I N E
  G   E M E N D   H   S
T E A R   D   S C A L E S
```

5

```
L O B B Y I S T   O V E R
E   O   N   R   W       A
E X A M   N E A T N E S S
R     B   E   U   R     H
E R A S E R   M   R     L
D   C   A   F A L S E L Y
    H   R   A   O   V   E
N E E D L E D   G   E
O       E   C   S O A R E D
O       M   L   T   R     I
D A T A B A S E   C E N T
L       N   I   A   E     E
E Y E D   R E M E D I E D
```

6

```
D E C A Y   O   S   P   A
E     F   S W I M M E R S
R E N A L   L   E   N   C
I     R A M S H A C K L E
D   N   M     R   N   N
E M A N A T E S   W I L D
    U   S   E   F   V
F U S S   C L E A V E R S
A   E   B     S   S   O
S T A L A G M I T E     N
T   T   N   A   S A M B A
E M E R A L D S   C     T
R   D   L   E   C H I N A
```

7

```
R E P R E S S   E X T O L
E   O   U   A   R     A
N   A W N I N G S   E   V
O   I   G   T I A R A   A
V A I N L Y   W   T     A
A   G   E V A C U E E S
T   C   L   I   D     P
E X A M P L E S   R   E
W E A V E   A   T R A G I C
I   S   D I V O R C E   L
C   T   G   I   I     E
K N A V E   D A W D L E D
```

8

```
S C O U T S   O   I N C H
E   R   O R B I T   Y
D A U B   U   T   A W A Y
U   A   T R A I L   N
C L I N C H   I   I R I S
E   O   N   C D
D A M A G E   S A S H E S
R   W   M   I       I
V I S A   B   D R Y I N G
S   R E A D Y   O   N
P I E D   R   K   U L N A
N   E A G L E   N   L
A G E D   O   S I G H T S
```

13

```
N A S T I E S T   I O T A
A   O   R   A   N   V
P R O W   R E L O C A T E
K   E   E   O   I   N
I N B R E D   N   T   G
N   I   V   E S S E N C E
  D   E   N   E   E
C L E A N E D   A   E   R
O   L   Q   S L U D G E
M   L   U   U   N   C
P A C I F I S M   I D E A
E   E   P   P   T   P
L I E D   S U S P E C T S
```

14

```
H U M A N   B   W   C   C
I   X   R E D E P L O Y
D U E L S   L   I   O   C
I     E C O L O G I C A L
N   S   R   H   K   E
G R A T E F U L   A W E S
  L   W   R   S   I
J I V E   U N D E R S E A
O   A   D   V   E   C
S I G N A T U R E S   I
T   I   T   N   N A M E D
L I N G E R I E   G   I
E   G   D   T   I S A A C
```

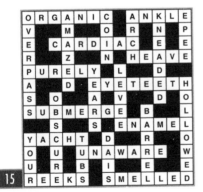

15

```
O R G A N I C   A N K L E
V   M   O   R   N   P
E   C A R D I A C   E   E
R   Z   N   H E A V E
P U R E L Y   L   D
A   D   E Y E T E E T H
S   O   A   V   D   O
S U B M E R G E   B   L
  S   S   E N A M E L
Y A C H T   D   R   O
O   U   U N A W A R E   W
U   R   B   I   E   E
R E E K S   S M E L L E D
```

16

```
S T R A T A   C   U N D O
A   M   B A R B S   E
W O M B   O   U   U R G E
M   L   V I C A R   R
I M P E D E   I   P L A N
L   O   A   E   D
L A P S E S   L A D L E D
  L   U   C   Y   O
W I S P   R   P E A L E D
  A   P H A S E   N   D
I S L E   T   E   N I N E
E   R E C U R   U   R
A S K S   H   S A L A R Y
```

17

```
D R O W S I L Y   ▮ M A I M
R ▮ E ▮ N ▮ O U ▮ O
A R I A ▮ F I D G E T E D
F ▮ N ▮ E ▮ E S ▮ E
T E A S E R ▮ L L ▮ R
▮ Q ▮ T ▮ A S P I R I N
▮ U ▮ C ▮ N ▮ U E ▮
C L A S H E D ▮ M ▮ E ▮ A
I ▮ T ▮ L ▮ F A B L E D
C ▮ R ▮ I ▮ U ▮ A ▮ A
A D V A N C E D ▮ K I N G
D ▮ N ▮ I ▮ G ▮ E ▮ E
A R I D ▮ T H E O R I E S
```

18

```
V I T A L ▮ A ▮ I ▮ D ▮ S
A ▮ X ▮ F U N N I E S T
U N T I L ▮ R ▮ G ▮ L ▮ A
L ▮ S A N A T O R I U M
T ▮ W ▮ T ▮ T ▮ G ▮ E
S N A T C H E S ▮ T H I N
▮ L ▮ H ▮ L ▮ C ▮ T
G U L P ▮ S K I L L E T S
A ▮ P ▮ M ▮ A D ▮ E
R E A D E R S H I P ▮ D
I ▮ P ▮ T ▮ L ▮ M A G M A
S C E N A R I O ▮ N ▮ T
H ▮ R ▮ L ▮ D ▮ A G I L E
```

19

```
N U R S I N G ▮ E A R L Y
A ▮ I ▮ O ▮ W ▮ A ▮ A
R ▮ A C R E A G E ▮ V ▮ P
R ▮ K ▮ L ▮ R O A M S
A D D L E D ▮ T ▮ G
T ▮ E ▮ R E A S S E R T
E P ▮ E ▮ R ▮ S ▮ R
S C A B B A R D ▮ P ▮ U
▮ I ▮ M ▮ Y I E L D S
M I N E R ▮ G ▮ D ▮ T
O ▮ T ▮ A N A G R A M ▮ I
N ▮ E ▮ P ▮ N ▮ L ▮ N
K U D O S ▮ G A S S I N G
```

20

```
B U F F E R ▮ A ▮ J A Z Z
E ▮ O ▮ H E D G E ▮ O
A L E C ▮ Y ▮ O ▮ A R M S
V ▮ A ▮ M U R A L ▮ B
E V O L V E ▮ N ▮ O M I T
R ▮ I ▮ E ▮ U ▮ E
S A L A M I ▮ D E S I S T
I ▮ L ▮ C ▮ V ▮ O
C R I B ▮ I ▮ C E A S E D
C ▮ I N C U R ▮ S ▮ D
G R I N ▮ L ▮ E ▮ H U L L
E ▮ O B E S E ▮ E ▮ E
O W E S ▮ S ▮ P O N D E R
```

21

```
P A Y L O A D S . K I N D
O . Y . D . K . O . . E
K I W I . D R A M A T I C
R . N . E . T . L . . A
R A N G E R . E . A . . D
S . U . P . T R E S T L E
. M . I . E . L . A X
C U B I C L E . S . X S
L . M . A . A E R I A L
A . A . Z . N . . . A
W I G G L I N G . K I N K
E . E . E . E . E . . E
D A M S . R E L I S H E D
```

22

```
D E B A T E S . S C A L D
A . R . H . E . V . . E
M . A C C O U N T . I . E
A . A . N . . S T A I D
S A N D E D . E . T
C . E . O R A T I O N S
U . M . S . T . R . C
S T A M P E D E . B . R
. C . S . N U A N C E
F I R E D . U . N . A
I . A . U N S O U N D . M
S . M . B . E . E . . E
H E E D S . D O O D L E D
```

23

```
Z E N I T H . S . V E A L
O . G . U N C L E . N
O V A L . R . R . N E X T
M . O . T R A I T . I
I D I O M S . P . U P O N
N . U . E . R . U
G A R A G E . D R E S S Y
. V . M . R . O . . E
T O G A . R . M E N I A L
. C . T E A R Y . O . L
P A L E . N . R . R E D O
. D . U D D E R . M . W
T O U R . S . H I S S E S
```

24

```
O U T R I G H T . I T C H
R . E . R . U . N . . U
N U D E . E M B O D I E S
A . F . E . E . I . . H
T E N S E R . R . G . E
E . E . M . E S C O R T S
. O . U . R . U . A
A M N E S I A . B . G . A
B . S . G . E A S E L S
U . S . N . A . O . . S
S T E A L I N G . N I C E
E . Y . T . E . I . . S
S U M S . E N R I C H E S
```

25

Across words: KINGDOM, JEANS, MINIMAL, TRADE, HERDED, WEAKNESS, SEAFARER, STATIC, ELDER, UNARMED, YOKES, KIDNAPS

27

Across words: CONTRAST, PLEA, SLOW, UNAFRAID, LEASES, NEGLECT, WRESTLE, RUSTIC, HERALDED, REAR, RICE, RAINBOWS

26

Across words: LILACS, ITEM, WICKS, AMID, OMAN, LAPEL, LENTIL, ALLY, TALENT, AVERSE, CLAP, FABRIC, AMBER, SWAT, AUTO, HEADS, EDGY, TROUPE

28

Across words: LURCH, BREAKAGE, GLEAM, TAMBOURINE, EXAMINED, ONCE, OARS, IMPELLED, DRAWBRIDGE, NERVE, SECRETLY, ASIDE

29

30

31

32

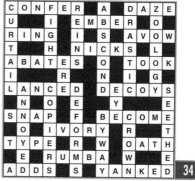

33

34

35

36

37

B	O	T	A	N	I	C		O	R	A	L	S
E		N		O		U		T		A		
H		U	N	B	O	L	T	S		T		G
A		U		D		T	E	A	S	E		
V	O	Y	A	G	E		T		I			
I		L		P	R	O	V	I	N	C	E	
N		J		E		R		S		N		
G	L	A	Z	I	E	R	S		H		D	
	V		S		O	R	A	N	G	E		
O	V	E	N	S		J		Z		A		
U		L		C	H	A	T	E	A	U		R
Z		I		A		M		R		E		
O	W	N	E	R		B	R	I	D	G	E	D

38

S	O	U	V	E	N	I	R		M	A	I	M
I			I		O		E		A			O
G	A	S	P		D	I	V	I	D	E	N	D
N		E		E		O		R				I
E	X	E	R	T	S		K		I			F
D		N		R		R	E	A	D	I	L	Y
		V		I		E		C		D		
P	L	Y	W	O	O	D		R		O		P
R			I		F		T	E	L	L	E	R
E			Z		F		O		A			I
A	P	P	A	R	E	N	T		I	R	K	S
C			R		N		A		R			O
H	O	O	D		D	E	L	U	S	I	O	N

39

A	T	L	A	S		C		A		L		A
S		X		W	A	R	B	L	I	N	G	
P	U	R	E	E		S		O		S		R
I			S	I	L	H	O	U	E	T	T	E
R		S		G		T		E		E		
E	L	E	P	H	A	N	T		A	N	T	S
		A		T		O		P		I		
L	A	W	S		O	R	D	A	I	N	E	D
O		O		M			W		G		A	
F	O	R	W	A	R	D	I	N	G		W	
T		T		L		A		S	A	L	A	D
E	X	H	A	L	I	N	G		I		L	
D		Y		S	K		S	T	A	R	E	

40

D	R	E	A	M	E	D		T	W	I	L	L
I			N		A		E		M		O	
S		S	I	E	S	T	A	S		P		N
C		M		E		T	W	A	N	G		
I	G	U	A	N	A		C		L			
P		L		F	L	A	T	T	E	R	S	
L		E		T		U		S		I		
E	S	C	A	P	E	E	S		A		C	
		O		R		E	M	B	A	R	K	
P	I	L	O	T		A		O			E	
E		O		U	P	G	R	A	D	E		N
N		G		B		E		E			E	
S	T	Y	L	E		S	L	A	S	H	E	D

41

```
C O W A R D   D     U S E S
U   I   E V E N S   C   O
T E A R   F   L   H A L O
I   E   E X I L E   A
C O N D O R   V   R A I L
L     N     E   E   R
E A S I E R   R A D I S H
  U   D   O   C     E
O G R E   B   D E G R E E
  M   A B B E Y   U   D
H E A L   I   I   S U R F
  N   L I N E N   T   U
S T A Y   G   G R O V E L
```

42

```
M U M B L I N G     E K E S
E   E   S   L   M     I
E W E S   S C A B B A R D
K   E   U   N   A   L
L O A T H E   C   L   E
Y   P   E   P E R M I T S
    E   R   I   U   N
A U D I B L E   I   T   G
L   S   O   U N C O I L
I   L   S   N   O   I
G R E A T E S T   P A I D
N   N   R   I   E   E
S P E D   S T E A D I E D
```

43

```
K N E A D   F   P   P   A
A     K   V I S I T O R S
R E L I C   J   A   L   T
A     N A T I O N W I D E
T   D   N   O   C   R
E M A N A T E D   D E A N
    F   L   R   S   M
M U F F   C A R A V A N S
O   O   F   G   N   Q
P A D D L E B O A T   U
P   I   U L   S A U C E
E N L I S T E D   L   A
D   S   H   D   S L A C K
```

44

```
C H I S E L S   G U A V A
R   L   H   O   D   H
U   F O R L O R N   A O
M   G   W   E M P T Y
B E H A L F   W   T
L   N   L E A R N E R S
E   C   E   L   D   H
D R A W B A C K   G   A
  B   S   S H A P E D
E M B E D   C   R   O
O   A   I N A N E L Y W
N   G   N   S   I   E
S C E N E   K N O C K E D
```

45

O	U	T	L	E	T		C		H	O	A	X
P		A		A	W	A	R	E		N		
U	R	N	S		B		R		R	A	C	K
L		E		B	R	A	N	D		I		
E	N	E	R	G	Y		V		I	B	E	X
N			A			A		N		N		
T	Y	P	I	S	T		N	I	G	H	T	S
	I		M		W		N			A		
S	E	E	P		E		O	N	W	A	R	D
	L		A	G	A	I	N		I		D	
O	D	E	S		K		S		N	A	M	E
	E		S	U	E	D	E		K		N	
I	D	L	E		D		T	O	S	S	E	S

46

Q	U	E	A	S	I	E	R		B	O	M	B
U		D		N		E		E				E
O	W	E	D		A	W	A	R	D	I	N	G
T		L		P		P		B		U		G
E	X	C	E	P	T		E		U			E
D		A		A		B	R	A	G	G	E	D
		R		C		A		C		L		
K	I	D	S	K	I	N		N		U		A
I		U		N		T	E	A	M	E	D	
C		B		L		A		B		B		U
K	I	N	D	N	E	S	S		B	U	L	L
E		U		T		T		O				T
D	I	C	E		S	W	E	L	T	E	R	S

47

F	A	C	T	S		T		A		A		E
I		I		C	R	U	C	I	F	I	X	
R	E	P	E	L		O		U		F		I
M			S	A	N	D	S	T	O	R	M	S
L		B		W		E		O		T		
Y	E	A	R	N	I	N	G		O	N	U	S
		L		S		E		M		T		
U	G	L	Y		S	T	R	A	T	E	G	Y
N		O		A			R		D		A	
B	R	O	O	M	S	T	I	C	K		W	
E		N		P		O		H	E	R	O	N
N	E	E	D	L	I	N	G		E		E	
D		D	E	S		S		P	L	I	E	D

48

U	N	R	A	V	E	L		S	T	A	N	D
M			F		A		U		B			I
B		P	L	U	M	B	E	R		R		E
R		O		S		E	N	A	C	T		
E	R	R	A	N	D		H		D			
L		T		R	E	A	S	S	E	S	S	
L		T		A	L		L			S		E
A	L	A	R	M	I	S	T					A
	U			N		S	L	I	D	E	S	
C	Y	N	I	C		V		Q			O	
H		T		O	M	I	N	O	U	S		N
I		E	R	E		E		I			E	
C	O	D	E	D		W	A	D	D	L	E	D

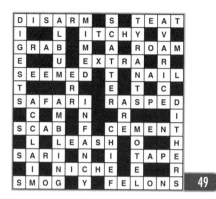

49

```
D I S A R M . S . T E A T
I . L . I T C H Y . V
G R A B . M . A . R O A M
E . U . E X T R A . R
S E E M E D . T . N A I L
T . R . E . T . C
S A F A R I . R A S P E D
. C . M . N . R . . I
S C A B . F . C E M E N T
L . L E A S H . O . H
S A R I . N . I . T A P E
I . N I C H E . E . R
S M O G . Y . F E L O N S
```

50

```
U N S A D D L E . C O M A
N . C . A . N . H . . U
C H A R . R E S T O R E D
L . I . N . I . I . . I
A S I D E S . G . C . T
D . C . L . I N F E C T S
. O . M . V . A . O
D Y N A S T Y . C . O . M
E . T . I . G E I S H A
S . T . N . U . D . . I
E X T E R I O R . I R O N
R . N . E . U . O . . L
T E N D . R O S E M A R Y
```

51

```
N O O K S . B . S . V . S
I . I . P L E A S A N T
C H I D E . O . T . L . U
E . . S A N C T I F I E D
L . V . R . N . A . I
Y E A R L I N G . O N T O
. C . S . U . A . T
B E A R . S T I C K L E R
E . N . B . H . Y . O
L O C A L I T I E S . U
L . I . E . R . S A L O N
O V E R A W E D . L . D
W . S . K . K . S T A R S
```

52

```
C A R A M E L . O V A R Y
O . R . O . D . Q . O
M . D E F R A U D . U . K
E . N . N . S C A R E
D E M A N D . M . T
I . S . W E A K L I N G
E . S . E . I . C . O
S H A C K L E D . T . N
. R . L . S W A Y E D
O L D E N . G . R . O
A . I . A N A T O M Y . L
F . N . P . R . A . A
S I E G E . B A T C H E S
```

53

```
P E R I O D . P . S L A M
E . N . I M A G E . C . .
D U N E . N . R . V I C E
D . . P . G R A P E . E .
L A S T L Y . D . R I D E
E . . I . . E . E . E . .
S A U C E R . S A D I S M
. T . O . O . L . . . E .
C H E F . M . T E N S E D
. L . F L A M E . A . D .
W E R E . N . D . S A I L
. T . R A C E D . A . E .
F E E S . E . Y E L P E D
```

54

```
S C R A M B L E . R A I D
T . I . R . N . E . . . I
R U E D . A B S O L V E S
U . E . Y . U . E . . . C
C L O S E S . E . N . . O
K . A . V . E D I T O R S
. . T . E . N . O . V . .
A D H E R E D . N . E . E
B . . A . C . U S U R P S
A . . R . Z . P . N . . T
C O U N T E R S . L A V A
U . . E . M . E . I . . T
S H E D . A L T I T U D E
```

55

```
O F F A L . M . T . S . R
N . . F . B E L I T T L E
W O M A N . S . F . A . T
A . . R I G H T F U L L Y
D R A F T I N G . R I F E
. R . H . A . G . O . . .
M U G S . S P R A I N E D
E . A . S . V . S . I . .
M A I N T A I N E D . S .
B . N . O . N . L A R V A
E L E G A N C E . B . R .
R . D . T . H . I S L A M
```

56

```
T O U G H E R . G O I N G
A . . A . E . I . M . R .
R . A M U S I N G . P . A
R . . B . N . S T A F F .
A L L O Y S . H . I . . .
G . L . C L E V E R L Y .
O . A . A . N . S . O . .
N O B L E M A N . C . U .
. A . P . A W A K E N . .
J E S T S . B . J . G . .
O . H . O R A T I O N . E
I . E . L . R . L . S . .
N U D G E . B E N E F I T
```

57

58

59

60

61

```
E N I G M A   R   Y O G A
S   U   O P E R A   I
S A N E   R   M   S I D E
E   S   T E A C H   D
N A U S E A   T   M A I L
C     A   C   A   E
E A T E R S   H I K E R S
  P   E   U   L     H
S P U R   N   A L B I N O
  A   I N D E X   L   W
F R E E   I   L   E D G E
  E   S P A R E   E   R
B L O T   L   S E D A N S
```

62

```
D E P L O Y E D   S P U N
O   E   O   R   O   E
U L N A   L E A R N I N G
S   N   K   W   N   A
E R A S E S   E   E   T
S   R   A   B R I T T L E
  E   S   A   D   A
M E A N E S T   E   C   G
A   U   A   B A B O O N
S   M   U   A   U   A
S E T B A C K S   D R E W
E   E   E   E   G   E
D I E D   R E D D E N E D
```

63

```
K E B A B   M   F   S   A
N   L   S E A R C H E S
E Q U A L   T   E   O   T
A   S   S E V E N T I E T H
D   P   E   S   M   M
S T A R C H E D   G A L A
  R   H   K   P   K
E F T S   D E L I V E R S
R   I   B   P   R   L
U N A B R I D G E D   I
P   L   I   E   D A T E D
T A L E N T E D   W   E
S   Y   E   R   A N D E S
```

64

```
E R R A T I C   V E N O M
L   G   A   E   O   E
I   L E A R N E R   M   A
G   N   E   Y E A S T
I C E C A P   E   D
B   Y   O R B I T I N G
L   J   L   B   C   R
E V A L U A T E   R   I
  K   R   D E A D E N
B E A K S   H   N   D
E   R   T R O U N C E   I
E   T   E   N   I   N
R E A L M   E L U D I N G
```

65

```
L E A S E D   A   G O A D
E   H   R I S E N   D
I O T A   U   S   A J A R
S   V   M E E T S   M
U N L E S S   R   H E A T
R   O   T   E   N
E A S I L Y   S E D A T E
  B   S   A   W   N
D U E L   N   W E A V E D
  S   A N K L E   N   E
S I G N   I   E   V I S A
  V   D I N E D   I   R
L E N S   G   S P L I T S
```

66

```
F I N A N C E D   E P E E
E   W   U   R   N   X
M A M A   B E A R A B L E
A   R   E   G   M   M
L O A D E D   O   E   P
E   S   C   A N A L Y S T
  P   H   N   U   E
H I S T O R Y   R   L   U
U   R   E   F A B L E S
S   I   G   A   I   H
T O M A H A W K   N O N E
L   L   R   E   G   R
E G G S   D I S C E R N S
```

67

```
R E N E G E S   Q U A K E
E   V   H   U   M   L
V   M A R T I N I   I   S
A   D   P   P H A S E
M U S E U M   S   B
P   D   A P P E A L E D
E   B   K   A   Y   E
D E A F N E S S   T   A
  G   R   M O A N E D
L O G O S   R   V   L
I   A   L E A T H E R   I
L   G   I   T   R   N
Y I E L D   E N S N A R E
```

68

```
W A S T E S   M   W I L D
A   E   T I A R A   O
Y O U R   A   N   V O I D
L   S   S P A C E   T
A F R E S H   G   R E E F
I   E   E   E   R
D A G G E R   R U D E S T
  D   E   U   R   A
I D L Y   N   S N A K E D
  R   S K A T E   I   P
M E R E   W   N   M E M O
  S   R E A R S   E   L
A S K S   Y   E N D U R E
```

69

```
S E N T R I E S   L A R D
A   A   D   T   A   I
L I M B   I N A C T I V E
A   L   O   T   T   E
R E C E N T   U   E   E
Y   R   E   B E A R D E D
  I   A   A   R   O   T
P U B E R T Y   I   O   T
U   N   H   F A I R E R
S   A   R   A   N   A
H U M B L E S T   N E E D
E   L   A   E   E   E
D U K E   D E S E R V E D
```

70

```
A P R I L   O   R   I   A
R   N   O B T A I N E D
M A S K S   O   N   S   A
A   S C R E E C H I N G
D   H   R   H   N   E
A M A T E U R S   A C E S
  R   W   U   O   E
G I V E   O B S C U R E D
R   E   C   T   E   R
U N S H E A T H E D   E
D   T   D   O   T A M E D
G R E N A D E S   M   G
E   D   R   S   U S A G E
```

71

```
S U I T I N G   M E A N T
E   H   R   E   L   U
R   P R E P A R E   M   N
G   E   B   K O A L A
E X P A N D   I   N
A   T   O C C U P A N T
N   P   D   I   C   W
T E A S P O O N   G   I
  D   S   G R A Z E D
M E D I A   M   Y   D
A   L   U N A I D E D L
I   E   N   S   S   E
M I D S T   K N O T T E D
```

72

```
F A C I N G   S   T R A P
A   R   I N A N E   M
L A N K   F   L   T E A M
L   E   T O U C H   Z
A N O D E S   T   E P I C
C   V   E   R   N
Y A P P E D   D E S I G N
  V   E   L   O
V E R B   P   A F F O R D
  R   B L A N D   I   U
W A L L   R   O   L U L L
  G   E N T E R   E   E
L E G S   S   E L D E R S
```

73

```
R E G A R D E D   F L E A
E   L   R   E   I   L
F I J I   I N C R E A S E
I   V   P   I   S   R
N O V E L S   D   T   T
E   E   O   R E W A R D S
  T   U   O   O   O
F L O O D E D   V A   U
I   C   X   L E A D E N
E   E   U   O   U   A
R E M A N D E D   D A U B
C   N   E   E   I
E R A S   D I S L O D G E
```

74

```
O R G A N   U   W   F   M
C   R   C R E A T I V E
C I R C A   G   R   C   N
U     H I B E R N A T E D
R   L   S     S   I   E
S E A P L A N E   B O L D
  N   E   I   A   N
G A G S   B L O C K A G E
A   U   E   R   L   R
B R A N D I S H E D   O
L   G   I   A   S A V E D
E X E R C I S E   M   E
S   S   T   H   W E I R D
```

75

```
A B R A D E D   M O T H S
A   P   U   U   Y   I
R   H I J A C K S   R   R
D   E   K   K N A V E
V O I C E D   L   N
A   E   I M A G I N E D
R   S   C   P   Y   R
K E E N N E S S   D   E
  R   S   E L E V E N
R A V E N   R   F   C
I   A   O R A N G E S   H
S   N   D   F   N   E
K I T E S   T R U D G E D
```

76

```
W H O L L Y   N   M O B S
A   I   O R A T E   I
R O O T   U   B   M O C K
D   H   T A B O O   Y
E N M E S H   I   I T C H
R     O   N   R   L
S A L A D S   G A S K E T
  W   N   P   G   E
S E M I   E   D E A L E R
  S   M A C H U   L   R
T O G A   I   C   P L E A
  M   T H A N K   H   C
C E D E   L   S C A R C E
```

77

78

79

80

81

```
S I L E N C E R   B R I M
H   N   A   O   L     I
Y A R D   P E A S A N T S
E     O   E   R   N   E
S L O W E R   E   K   R
T   M   X   O D Y S S E Y
  I   I   D   A   U   A
E N T I T L E   W   M   A
J   R   I   O N I O N S
E   O   B   U   N   S
C H A N G I N G   G A V E
T   E   D   H   O   T
S E N D   O U T S T A Y S
```

82

```
L I L A C   B   I   T   J
A     P   P R E M I E R E
U N F E D   U   P   L   T
G     S E T T L E M E N T
H   P   E   L   P   E
S C A N D A L S   T H U D
  T   S   A   S   O
O U R S   H Y G I E N I C
R   I   F     N   E   H
G U A R A N T E E D     I
I   R   T   A   W A G E D
E X C H A N G E   S   E
S   H   L   S   C H O R D
```

83

```
S U R F A C E   B O A R D
T   O   X   E   N   O
R   A D U L A T E   T   U
E   D   M   F R E E R   R
N E W E S T   B   N
G   R   A N A C O N D A
T   B   K   L   A   I
H O A R D E R S   B   R
  L   S   A W A I T S
S O L V E   B   N   H
N   E   B U R G L A R   I
O   T   B   I   N   P
B U S E S   E N C A G E S
```

84

```
G U S H E S   C   H E A D
A     Y   H E A V E   G
R O P E   O   N   C O I L
L   N   C L A N K   T
A T T A C K   S   L E A F
N     U   T   E   T
D A N C E R   A N S W E R
N   O   I   A     E
T A L C   V   E G G I N G
  G   K N E E L   O   I
D R O P   T   I   R E D O
A   I N E R T   E   N
O M I T   D   E D D I E S
```

85

T R I A N G L E · F U R Y
O · N · I · M · L · O
T O W N · V I B R A T E D
A · U · E · R · U · E
L A D L E S · Y · N · L
S · A · D · L O A T H E S
· T · I · I · I · A
R E A C T E D · R · U · A
E · H · M · P S A L M S
S · E · B · I · U · Y
E V E R Y O N E · D O L L
T · U · S · C · I · U
S T U B · S P E C T R U M

86

I D E A S · S · S · O · E
N · · R · W H A T E V E R
T R A C E · O · O · E · A
A · · S A F E G U A R D S
C · R · R · T · N · E
T R A I L E R S · T I E R
· S · Y · U C G · ·
N I P S · A T T A C H E D
A · B · S · C · T · O
V I E W P O I N T S · U
I · R · I · T · I C O N S
E N R I C H E S · A · E
S · Y · E · M · P R I E D

87

P I R A N H A · E V A D E
A · · W · D · N · N · A
S · P A R A D E D · T · C
S · R · S · S M A S H ·
W I N D E D · A · · C ·
O · S · I M B I B I N G
R · S · V · Y · D · O
D I A G R A M S · A · O
· L · N · S I G N E D
D I V E S · S · R · B
R · A · I N C I T E D · Y
A · G · Z · A · E · E
G E E S E · N E E D L E S

88

E N T A I L · I · M A Z E
N · P · A R G U E · I
S O U P · N · N · L O P E
L · L · D R I L L · P
A N G E L S · T · O M E N
V · A · E · W · R
E F F I G Y · D E S I S T
· I · N · E · R · R
C L A D · L · H E A R S E
· M · I G L O O · T · M
Z I N C · I · R · T R I O
· N · T U N E D · I · R
E G G S · G · E T C H E S

89

U	N	R	A	V	E	L	S			T	I	R	E
N		W		A		E		R		D			
H	U	L	A		T	A	R	R	Y	I	N	G	
U		S		E		E		I		I	N		
R	I	C	H	E	R		N		N		I	N	
T		R		A		H	E	D	G	I	N	G	
	A		R		A		A		A		S		
J	U	G	G	L	E	D		N		L		A	
A		R		X		L	E	V	E	L	S		
I		O		C		A		O		C			
L	I	G	A	M	E	N	T		M	O	L	E	
E		N		S		E		I		N			
D	I	M	S		S	T	R	U	T	T	E	D	

90

G	A	P	E	S		O		S		P		S
A		Y		I	N	U	N	D	A	T	E	
L	I	K	E	D		C		A		R		N
L			S	A	U	E	R	K	R	A	U	T
O		M		L		E		M		R		
P	E	A	C	E	F	U	L		D	E	N	Y
	L		S		S		C		D			
E	M	I	T		S	E	D	A	T	I	V	E
N		N		F		M		C		L		
V	I	G	I	L	A	N	T	E	S		U	
I		E		O		I		L	A	C	E	D
E	N	R	A	G	I	N	G		P		E	
D		S		S		E		A	S	K	E	D

91

K	N	E	A	D	E	D		Q	U	A	C	K
E		M		O		U		F		E		
E		D	I	L	E	M	M	A		F		G
P		D		E		Y	E	A	R	S		
S	E	A	S	O	N		G		I			
A		T		U	N	A	W	A	R	E	S	
K		M		D		S		S		E		
E	V	A	C	U	E	E	S		L		A	
	L		S		Y	I	E	L	D	S		
Q	U	A	I	L		S		E		H		
U		R		Y	E	L	L	O	W	S		
I		I	R		A		A		A		L	
T	E	A	S	E		P	L	A	Y	F	U	L

92

S	T	R	A	N	D		L		B	U	N	S
U		S		A	B	A	S	E		E		
B	L	I	P		U		R		D	E	A	N
J		I		N	I	G	H	T		R		
E	L	I	C	I	T		E		I	C	E	S
C		R		S		M		S				
T	A	N	D	E	M		T	H	E	F	T	S
	V		I		A		A		A		U	
S	O	N	G		I		S	M	A	C	K	S
C		I	N	L	E	T		S			T	
C	A	R	T		M		E		S	A	G	A
D		A	R	E	N	A		E			I	
T	O	L	L		N		L	I	S	T	E	N

93

S	E	P	A	R	A	T	E		K	N	O	B	
P		L		R		N		N				U	
I	D	O	L		R	E	J	O	I	C	E	S	
R		O		A		O		G				I	
A	N	Y	W	A	Y		Y		H			L	
L		A		G		A	S	H	T	R	A	Y	
	R		O		I		E		I				
M	A	N	A	G	E	D		L		S		A	
O		F		N		U	D	D	E	R	S		
R		R		L		N		R		R		H	
S	T	E	A	D	I	E	D		I	N	T	O	
E		I		S		U		E		E		R	
L	E	N	D		T	R	E	A	S	U	R	E	

94

J	U	I	C	Y		A		M		S		M
A		L			I	N	F	A	N	T	R	Y
C	L	O	A	K		T		R		A		S
K		P	A	T	I	S	S	E	R	I	E	
E		N		Y			H		B		L	
T	E	E	N	A	G	E	R		W	O	L	F
		G		K		R		A		A		
I	L	L	S		B	A	R	B	A	R	I	C
R		E		E			H		D		A	
O	C	C	U	P	A	T	I	O	N		N	
N		T		E		U		R	A	Z	E	D
I	C	E	B	E	R	G	S		V		I	
C		D		S		S		T	Y	P	E	D

95

T	A	L	L	I	E	D		A	U	R	A	L
R		U		U		X		A				E
A		I	N	F	I	D	E	L		M		A
N		A		S		E	M	B	E	D		D
Q	U	I	C	H	E		W		L			
U			Y		L	E	A	N	N	E	S	S
I		G		V		I		R				Q
L	E	A	R	N	E	R	S		C			U
		Z		S		T	R	A	U	M	A	
F	L	E	C	K		A		V				T
A		L		N	I	B	B	L	E	D		T
D		L		O		L		R				E
S	P	E	N	T		Y	O	U	N	G	E	R

96

G	L	E	A	N	S		C		F	A	K	E
A		M		W	H	A	L	E		N		
M	I	K	E		O		T		S	T	U	D
B		N		R	O	A	S	T		C		
L	A	U	D	E	D		R		I	R	K	S
E				L		R		V		L		
D	E	F	A	M	E		H	E	E	D	E	D
	X		L		P		M					I
L	A	M	B		I		H	U	D	D	L	E
	C		I	S	S	U	E		R			T
S	T	U	N		O		A		A	C	N	E
	L		O	R	D	E	R		W			R
G	Y	M	S		E		S	E	N	S	E	S

101

```
K E Y B O A R D · · G L I B
I · R · R · E · O · O · · O
P I S A · I M M E R S E D ·
P · W · A · O · G · · · · I
E X A L T S · T · E · · · E
R · R · A · J E R S E Y S ·
· R · I · X · I · U · A · A
B U D G I N G · I · S · · H
R · · R · A · U N I T E D ·
A · · O · T · R · N · · · H
K N O C K I N G · F L U E ·
E · · E · V · E · E · · · R
S T I R · E · N S H R I N E
```

102

```
P E T A L · O · O · I · L
U · W · E M I N E N C E · ·
R I V E R · A · S · D · N ·
I · S A U N T E R I N G · ·
S · J · I · T · C · · · T ·
T R A P D O O R · P A T H ·
· · Y · S · W · P · · T · ·
M O W N · C L E A V E R S ·
I · A · R · N · D · · · L ·
F A L S E H O O D S · · U ·
F · K · L · D · A C H E D ·
E M E R A L D S · A · · G ·
D · D · X · S · A B U S E ·
```

103

```
C O N V E Y S · C A T C H
O · A · T · R · O · O · O
M · O N S H O R E · B · L
P · D · P · W E A V E · E
L I Z A R D · A · · C · ·
A · L · U N B L O C K S ·
I · S · P · O · O · O · H
N E C K W E A R · P · A ·
· A · · S · T R A G I C ·
T E R M S · T · N · · K ·
O · C · O R A T I N G · L
O · E · Y · L · E · · · E
L A R V A · K I N D L E D
```

104

```
I N V A D E · T · K I C K
N · C · V O I C E · · I ·
M U S T · I · N · N E C K
A · E · L I K E N · · A ·
T R A D E S · L · E D D Y
E · · B · · E · L · L · A
S C R U B S · D I S U S E
· A · N · W · · O · · · L
A B U T · A · K N I F E D
· B · R A B B I · M · · E
S A R I · B · O · A F A R
· G · · · E W E R S · G ·
F E U D · D · · K E E N L Y
```

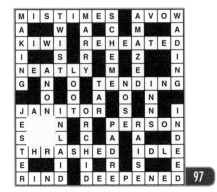

Puzzle 97:

```
M I S T I M E S   A V O W
A   W   A   C   M       A
K I W I   R E H E A T E D
I     S   R   E   Z     I
N E A T L Y   M   E     N
G   N   O   T E N D I N G
    O   O   A   O   N
J A N I T O R   S   N   I
E   N   R   P E R S O N
S   L   C   A   A     D
T H R A S H E D   I D L E
E     I   I   R   S     E
R I N D   D E E P E N E D   97
```

Puzzle 98:

```
N O I S E   A   R   B   R
O     W   E X C A V A T E
V O C A L   E   T   R   G
I     P E R S P I R I N G
C   B   G     O   T   A
E M A N A T E D   M O D E
    R   L   R   H   N
S I N G   B R O A D E N S
E   A   A     I   S   E
V O C A B U L A R Y   A
E   L   O   I   Y A N K S
R U E F U L L Y   M   O
E   S   T   T   A S I A N   98
```

Puzzle 99:

```
G L A S G O W   R A C E S
H   O   I   I   A     O
E   C L A M P E D   R   L
R   I   E   S T A N D
K I D D E D   W   F
I   S   R E A P P E A R
N   R   E   R   S   E
S T A N D A R D   L   S
  F   D   S T A T I C
G A F F E   W   N   U
L   L   S E A S I C K   I
U   E   P   S   E   N
M U S H Y   P E N D I N G   99
```

Puzzle 100:

```
P U R I F Y   F   V E A L
A   N   O B E S E   I
U R N S   U   N   E A R S
P   E   R E C U R   L
E L A T E S   I   I B I S
R   L     N   N   N
S H A N K S   G A G G E D
  A   I   C   Y   R
Z I N C   R   K E T T L E
  L   K H A K I   I   S
W I R E   T   L   M O P S
N   L O C A L   I   E
A G E S   H   S I D L E D   100
```

105

106

107

108

109

110

111

112

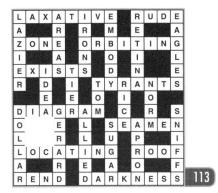

113

L	A	X	A	T	I	V	E		R	U	D	E
A		R		R		M		E			A	
Z	O	N	E		O	R	B	I	T	I	N	G
I		A		N		O		I			L	
E	X	I	S	T	S		D		N		E	
R		D		I		T	Y	R	A	N	T	S
		E		E		O		I		O		
D	I	A	G	R	A	M		C		R		S
O			E		L		S	E	A	M	E	N
L		R		L		U		P			I	
L	O	C	A	T	I	N	G		R	O	O	F
A		R		E		A		O			F	
R	E	N	D		D	A	R	K	N	E	S	S

114

S	E	C	T	S		O		S		S		A
L		I			E	X	E	C	U	T	E	D
Y	A	R	D	S		E		A		O		D
E			E	C	O	N	O	M	I	C	A	L
S		M		A			P		K		E	
T	R	A	W	L	I	N	G		O	P	T	S
		R		Y		U		B		I		
H	U	M	P		E	N	T	A	I	L	E	D
O		A		A		I			E		E	
I	L	L	E	G	A	L	I	T	Y		F	
S		A		I		O		S	E	P	I	A
T	O	D	D	L	E	R	S		A		C	
S		E		E	D		C	R	A	Z	E	

115

F	A	N	A	T	I	C		D	U	S	T	Y
R			D		I		O		E			O
E		E	J	E	C	T	E	D		V		G
E		U		E			O	P	E	R	A	
W	E	A	S	E	L		H		R			
A		T		U	N	A	F	R	A	I	D	
Y		V		N		N			L		I	
S	C	A	B	B	A	R	D		P		S	
		G			R		Y	E	A	R	N	S
M	A	U	L	S		C		L			E	
I		E		C	O	A	S	T	A	L		C
S			S	U		L		C			T	
T	O	T	E	M		F	O	R	E	S	T	S

116

M	U	M	B	L	E		G		G	A	P	E
U		O		M	O	R	A	L		R		
S	E	A	R		P		E		U	S	E	R
C		E		T	O	A	S	T		F		
L	O	U	D	L	Y		S		T	H	A	N
E			O			E		O		C		
S	A	F	E	T	Y		D	A	N	G	E	R
	B		L		I		R				E	
P	I	L	E		E		E	C	H	O	E	D
	D		V	I	L	L	A		I			H
V	I	S	A		D		S		K	I	T	E
	N		T	H	E	R	E		E			A
O	G	R	E		D		L	A	D	L	E	D

117

A	D	V	A	N	C	E	D		E	Y	E	D
P		D		R		R		L			E
A	M	I	D		E	X	A	M	I	N	E	D
T		E		E		P		X			U
H	O	R	R	I	D		E		I		C
Y		O		O		A	R	M	R	E	S	T
		L		T	S		O		T		
C	O	L	L	A	R	S		C		I
O			I		E		U	R	C	H	I	N
B		L		N		T		R			T
A	D	J	A	C	E	N	T		E	L	S	E
L		C		W		E		P			N
T	O	W	S		S	H	R	I	E	K	E	D

118

W	H	E	A	T		R		S		C		G
H		N		D	A	T	A	B	A	S	E
I	D	L	E	D		R		U		R		I
N		N		W	A	T	E	R	C	R	E	S	S
N		P		I		E		F		H
Y	E	A	R	L	I	N	G		T	U	B	A
		L		Y		A	C	L
T	O	A	D		S	P	R	A	W	L	E	D
R		T		V		M		Y			O
E	R	A	D	I	C	A	T	E	D		R
B		B		S		M		O	A	T	H	S
L	O	L	L	I	P	O	P		B		A
E		E		T		K		U	S	U	A	L

119

Q	U	A	C	K	E	D		L	I	V	E	R
U		A		R		U		O			A
A		I	N	S	T	A	L	L		Y		I
N		D		M		L	E	A	R	N
D	A	H	L	I	A		R		G
A		E		D	R	E	A	M	E	R	S
R		O		M		I		S			H
Y	A	C	H	T	I	N	G		F		A
		E		T		N	E	A	R	E	D
B	E	A	R	D		A		B			O
U		N		R	E	C	T	O	R	Y		W
L		I		U		R		I			E
L	O	C	U	M		E	N	A	C	T	E	D

120

C	O	W	A	R	D		S		L	E	A	K
R		X		U	L	T	R	A			M
O	R	A	L		E		R		R	E	A	L
W		E		T	W	A	N	G			T
B	O	S	S	E	S		T		E	W	E	S
A			E			U		L			U
R	A	M	B	L	E		M	A	Y	O	R	S
	W		A		M		X			E
W	A	R	N		B		P	E	A	H	E	N
	K		G	R	A	T	E		R		A
B	E	L	L		R		A		S	L	O	T
	N		E	A	G	E	R		O		O
A	S	K	S		O		L	I	N	G	E	R

121

```
R U N A W A Y S . . O W E D
O . C . L . A . Y . . . E
O S L O . . I N S I S T E D
S . R . V . H . T . . . U
T R A N C E . E . E . . . C
S . I . L . A S T R I D E .
. . D . O . S . O . C . .
B R E A D T H . . I . O . A
I . N . A . F L A N K S .
C . G . S . U . R . . S .
E M U L A T E D . . O O Z E
P . E . E . G . M . . S .
S A I D . S T E W A R D S
```

122

```
N E R V E . A . D . M . U
E . . E . I G N I T I O N
A I R E D . E . A . S . I
T . . R O A D B L O C K S
E . C . O . . . S . O . O
R E A R M O S T . T U R N
. . T . S . A . F . N . .
O V A L . A G N O S T I C
P . R . S . . R . S . A .
I N A C C U R A C Y . . C
A . C . R . U . . E A R T H
T A T T E R E D . . N . E
E . S . W . S . S K I M S
```

123

```
V O Y A G E S . T H E M E
I . . M . T . I . M . D .
L . T A D P O L E . B . G
I . Z . P . D R A P E . .
F L U E N T . A . . S . .
I . . S . U N B I A S E D
E . I . T . B . Y . E . .
D O G H O U S E . A . A .
. . U . S . Y E L P E D .
B E A C H . C . M . L . .
L . N . O R A T I O N . I
O . A . R . R . N . E . .
B A S I N . D R E D G E R
```

124

```
N E G A T E . W . G O R Y
O . I . B L A R E . E . .
Z E A L . O . T . A J A R
Z . E . N I C E R . D . .
L E W D L Y . H . B E E R
E . . E . E . O . R . . .
S A N I T Y . S E X I S M
L . N . E . V . . A . . .
M I L D . A . W E A K E N
G . E R R O R . S . I . .
O N Y X . N . I . S A G A
E . E P E E S . E . C . .
O D E S . D . T O T A L S
```

125

I	N	V	A	D	E	R	S		H	A	W	K
I	N		W		R		U		E			I
T	U	N	A		U	N	B	E	A	T	E	N
E			R		P		U		V			K
R	O	D	E	N	T		R		E			E
N		A		E		A	B	A	S	H	E	D
		U		W		D		U		E		
D	E	B	A	S	E	D		R		R		U
E		B		S		B	A	B	O	O	N	
P		O		P		O		A		A		A
I	M	P	A	L	I	N	G		T	O	M	B
C		R		E		U		H		L		L
T	E	N	D		S	U	S	P	E	N	S	E

126

C	O	R	A	L		A		B		A		J
A			R		S	C	R	A	M	B	L	E
D	E	U	C	E		I		T		R		S
G			H	A	N	D	I	C	R	A	F	T
E		C		R		H		S		E		E
D	E	A	D	L	O	C	K		F	I	N	D
		T		S		O		O		O		
W	R	A	P		O	D	D	M	E	N	T	S
A		M		D				I		S		H
F	R	A	T	E	R	N	I	T	Y			A
E		R		L		E		S	E	W	E	D
R	E	A	W	A	K	E	N		L			E
S		N		Y		D		F	L	O	O	D

127

V	A	C	A	T	E	S		F	L	A	M	E
I		R		E		A		N		V		V
R		G	E	N	E	T	I	C		I		I
U			N			S		T	O	W	E	L
L	O	C	A	L	S		O		E			Y
E			S		U	N	F	A	I	R	L	Y
N		E		R		F		S		S		O
T	O	R	T	I	L	L	A		H			S
		R			Y		L	E	A	G	U	E
W	H	A	R	F		S		Z				M
O		T		R	E	T	R	E	A	T		I
L		I		E		E		R		R		T
F	A	C	E	T		P	R	O	D	U	C	E

128

E	Q	U	A	L	S		C		D	U	A	L
N		D		Q	U	A	K	E		D		
J	U	D	O		U		R		R	E	A	P
O		R		A	L	I	B	I		M		
Y	A	W	N	E	D		B		D	E	A	F
E			G		O		E		N			
D	A	M	S	O	N		U	P	D	A	T	E
		T		A		O		R				Y
T	H	A	W		T		W	O	B	B	L	E
	L		M	I	C	R	O		A			L
S	E	M	I		H		R		R	A	T	E
	T		L	E	E	R	S		E			T
S	E	A	L		S		E	L	D	E	R	S

129

```
S H R I V E L S . T O N E
E . D . I . . . A . . . D
W I P E . G R A B B I N G
A . A . H . R . L . . . I
G O B L E T . C . E . . L
. . I . A . G H O S T L Y
. . E . S . E . W . R . .
P E R V E R T . E . O . O
R . E . I . . E D I T E D
O . N . D . N . N . N . D
B R E E D E R S . C A V E
E . E . R . U . U . . . S
D E E R . S H E E R E S T
```

130

```
T O G A S . A . D . S . P
A . . X . U N D E R L A Y
U N D I D . T . L . E . T
G . S E V E N T I E T H .
H . C . T . A . P . O . O
T R A V E S T Y . F L A N
. . N . R . I . R . E . .
I O N S . A P P E A S E D
N . I . D . A . S . . . E
U N B E A R A B L Y . . A
R . A . I . C . M O P E D
E N L I S T E D . U . . E
D . S . Y . S . C R O O N
```

131

```
B E A C H E S . N O D E S
U . R . I . U . A . . . A
R . H A G G L E D . V . L
R . V . K . E V I C T . T
O R N A T E . H . N . . .
W . T . D I A L E C T S .
E . O . I . R . I . . . S
D E F L E C T S . D . . B
. . F . T . H E A L E D .
P A S T E . O . W . . . U
E . E . V I B R A N T . I
E . T . E . O . . . E . N
R I S E N . E R O D I N G
```

132

```
U N P A I D . E . B O I L
P . . U . Y O D E L . N .
G R I D . K . I . I T C H
R . . I . E L F I N . . I
A C T O R S . I . K I S S
D . . A . . C . E . O . O
E A T I N G . E N D U R E
. P . N . L . A . . . . N
S P O T . A . B Y R O A D
. R . O C C U R . I . . L
B O R N . I . I . G A Z E
. V . E M E N D . I . . S
V E N D . R . E N D O W S
```

133

```
T O M A H A W K   D E N T
A   C   B   O   R   R
L U S H   B E A R A B L E
L   E   O   L   W   N
O U T S E T   A   E   C
W   O   X   O S T R I C H
    A   I   L   A   R
S E D A T E D   M   O   E
Y   N   C   M E A N E R
M   G   Z   U   L   A
B U S I N E S S   I R I S
O   N   M   I   E   E
L A V A   A S C E N D E D
```

134

```
M A C A W   A   O   D   H
O   N   T R I C K E R Y
B E A T S   I   E   L   E
I   S E P A R A T I O N
L   P   D   N   G   A
E M A N A T E S   T H U S
    P   N   G   S   T
Q U A Y   U G L I N E S S
U   R   S   X   D   A
I N A C T I V I T Y   D
L   Z   U   I   H A T E D
L O Z E N G E S   R   L
S   I   G   S   A D D L E
```

135

```
L E B A N O N   W A V E S
E   N   E   E   I   U
V   I N F L A T E   T   V
E   U   T   D R A M A
R E P A I D   S   M
I   L   O C C U P I E D
N   P   S   A   N   R
G R A N D E U R   A   O
    P   S   Y E L L O W
S H R U G   H   L   S
O   I   R E A C T E D   I
L   K   I   I   G   L
E X A C T   L I B E R T Y
```

136

```
D I L A T E   P   L E A P
U   L   T I A R A   C
C E L L   H   N   P E A R
H   O   I N A P T   D
E R O T I C   C   O V E N
S   L   H   P   M
S A D D L E   E S S A Y S
N   E   Q   H   E
S C A M   U   L E G E N D
H   E L A T E   A   U
B O A R   T   A   B L O C
V   I D O L S   L   E
C Y S T   R   T E E M E D
```

137

```
P L E A S A N T . U R G E
O . I . I . N . I . . N
I T E M . K I N G D O M S
N . E . L . S . O . . I
T R U D G E . . E . E . G
S . S . G L I S T E N
. E . R . U . N . O
B I S C U I T . K . U . E
U . R . S . S Y S T E M
M . E . O . T . A . P
P R E A M B L E . M I L L
E . T . A . E . B . O
D I M E . R E L I A B L Y
```

138

```
L O G O S . T . M . T . S
O . P . P H E A S A N T
T W E A K . U . T . R . U
I . L A N D S C A P E D
O . D . P . H . A . I
N U R T U R E D . S U M O
. I . T . A . M . L
N I B S . G R O A N I N G
O . B . S . T . N . O
T E L E P H O N E S . L
I . I . I . U . D U P E D
N O N S E N S E . L . E
G . G . D . T . S K E I N
```

139

```
Q U I B B L E . C A K E D
U . I . R . U . I . E
I . U P S T A R T . T . E
P . E . S . E B B E D
P A D D E D . A . A
I . S . R U M M A G E D
N . C . E . B . S . R
G R A D U A T E . V . E
. R . M . R E A S O N
S O R E R . M . L . C
H . I . U R A N I U M . H
A . E . S . I . E . E
M I D G E . D O O D L E S
```

140

```
H E R A L D . B . P E A L
O . M . E V A D E . G
C R I B . C . N . A W A Y
K . L . K U D O S . I
I N F E R S . A . A U N T
N . U . G . N . S
G A R A G E . E N T I T Y
. B . S . R . E . E
A S P S . R . H E R N I A
. T . I R A T E . O . R
B A R S . N . A . G R I N
. I . T I D A L . U . E
A N T S . S . S E E M E D
```

141

```
A M I C A B L E . T O U R .
S . A . U . N . H . . . A
S T U B . I N S E R T E D
U . I . L . U . O . . . I
M O A N E D . R . B . . O
E . K . M . G E I S H A S
. . I . I . A . S . O . .
D O N A T E D . L . G . E
A . P . M . F E A S T S
W . I . B . A . R . . . C
D E F E R R A L . M O N A
L . C . Y . S . E . . . P
E P E E . O V E R D O N E
```

142

```
U N C L E . M . B . L . E
N . . E . P O S I T I O N
P L E A S T . G . M . I
A . F A S H I O N I N G
C . P . N . . . T . T . M
K N E A D I N G . U L N A
. . R . Y . I . V . E
T I F F . C L E A N S E D
O . O . S . G . S . . . L
M I R A C U L O U S . . E
A . M . A . A . E E R I E
T R E B L I N G . . E . T
O . R . E . K . A D O R E
```

143

```
F L O A T E D . S P R I G
I . . P . E . U . E . . E
F . A P P L A U D . L . L
T . E . L . S T A I D
I G U A N A . S . . Y
E . . R . D E L I V E R S
T . E . E . I . D . . . C
H O M E S P U N . T . . I
. . B . T . K N A V E S
Y E A R S . C . . V . . S
E . R . M E A S L E S . O
L . G . O . S . . R . . R
P R O N G . K I D N A P S
```

144

```
D I T H E R . B . S W A M
Y . . E . E N A C T . L
N O N E . N . C . O V E R
A . . D . T O K E N . R
S O U S E S . E . I N T O
T . . . K . R . E . E
Y A N K E D . S H R E D S
. W . I . E . U . . . . C
S E N D . C . R E C T O R
. S . S H A M E . O . . I
R O C K . D . U . M A I M
. M . I D E A S . I . . P
K E E N . S . E X C E S S
```

145

146

147

148

149

P	R	I	C	E	S		M		K	I	C	K
U			O		U	S	A	G	E		H	
Z	I	N	C		R		T		T	H	A	W
Z			O		G	R	U	N	T		R	
L	O	C	A	T	E		R		L	E	A	N
E			U				E		E		D	
S	A	V	A	G	E		R	O	S	I	E	R
	V		M		N		V					E
C	O	M	A		H		O	A	F	I	S	H
	C		T	I	A	R	A		A			O
C	A	M	E		N		S		T	U	T	U
	D		U	N	C	L	E		E			S
S	O	A	R		E		S	E	D	A	T	E

150

R	U	G	B	Y		S		O		S		I
E				O		W	I	N	G	S	P	A	N
M	O	U	N	D		G		L		O		C
A			E	I	G	H	T	E	E	N	T	H
R		P		M			S		S		E
K	N	E	E	L	I	N	G		S	O	L	D
		R		Y		E		F		R	
I	T	C	H		S	T	R	A	T	E	G	Y
G		E		P			I		D		O
U	N	I	V	E	R	S	I	T	Y		D
A		V		R		A		H	A	L	V	E
N	E	E	D	I	E	S	T		M		L
A		S		L		H		I	S	L	E	S